CURSO ORO

El complemento perfecto a tu preparación

Auxiliar de Enfermería de la Administración de la Comunidad de Castilla y León

En él encontrarás los siguientes contenidos:

- Guía del Campus
- Test online
- Temario digital
- Foros
- Consulta Oposición y proceso selectivo
- Información de la convocatoria
- Vídeos de repaso
- Actualizaciones legislativas
- Esquemas resúmenes

Para acceder será necesaria la compra de los siguientes libros:

- Temario específico volumen 1
- Temario específico volumen 2
- Temario y test materias comunes
- Test materias específicas

Accederás introduciendo los códigos que encontrarás en la última página de cada libro.

Infórmate en: https://campus.mad.es/registro-campus/

NOTA IMPORTANTE:

El acceso finalizará con la fecha del examen o el 30 de junio de 2020 (lo que se produzca antes).

MAD se reserva el derecho a ampliar dicha fecha.

Auxiliar de Enfermería de la Administración de la Comunidad de Castilla y León

Enero, 2020

Auxiliar de Enfermería de la Administración de la Comunidad de Castilla y León

Test específico

ROBERTO SALAMANCA CRIADO
Licenciado en Derecho
Funcionario Cuerpo Superior de la Administración de la Comunidad de Castilla y León

JOSÉ MANUEL GONZÁLEZ RABANAL
Licenciado en Derecho

DOMINGO GÓMEZ MARTÍNEZ
Licenciado en Derecho
Técnico de Función Administrativa

ANA MARÍA SERRANO BÁRCENA
Licenciada en Biología

M.ª DEL CARMEN SILVA GARCÍA
Diplomada Universitaria en Enfermería
Técnica Especialista de Laboratorio

CARMEN ROSA JUNQUERA VELASCO
Diplomada Universitaria en Enfermería

JOSÉ MANUEL ANIA PALACIO
Médico

M.ª JOSÉ GARCÍA BERMEJO
Licenciada En Biología

MANUELA JIMÉNEZ CASTILLO
Diplomada en Fisioterapia. C.O. en Osteopatía
Formadora ocupacional.
Experiencia profesional como fisioterapeuta a nivel docente y asistencial en Instituciones Sociales

LUIS FERNANDO RODRÍGUEZ SUÁREZ
Doctor en Medicina y Cirugía

LIDIA MARINA PONCE MARTÍNEZ
Licenciada en Psicología
Máster en Terapia Familiar y de Sistemas

Primera edición, enero 2020 (328 páginas)
Derechos de edición reservados a favor de 7 Editores
IMPRESO EN ESPAÑA
Diseño Portada: 7 Editores
Edita: 7 Editores
Avda. San Francisco Javier, 9 · Edificio Sevilla 2 · Planta 11 · Módulos 25-27 · 41018 Sevilla
Teléfono: 954 784 411 · WEB: www.mad.es · e-mail: administracion@7editores.com
ISBN: 978-84-142-3414-3

Test n.º 1. La Ley 16/2010, de 20 de diciembre, de Servicios Sociales de Castilla y León. El Sistema de Servicios Sociales de Castilla y León. La Gerencia de Servicios Sociales de Castilla y León (*50 preguntas*) 11

Test n.º 2. El Sistema de Acción Social de Castilla y León. Las prestaciones del sistema de servicios sociales de responsabilidad pública: Concepto, clasificación y clases. El catálogo de servicios sociales de Castilla y León. La Historia Social única (*50 preguntas*) 23

Test n.º 3. Buenas prácticas en prevención de riesgos biológicos: Precauciones estándar. Precauciones específicas basadas en el mecanismo de transmisión. Equipos de Protección Individual y ropa de trabajo. Procedimientos seguros de higiene personal y en la manipulación de objetos cortopunzantes. Limpieza, desinfección y esterilización de instrumentales y superficies. Procedimientos de trabajo seguros en la manipulación de residuos. Actuación en caso de Accidente biológico (*119 preguntas*) 37

Test n.º 4. Derechos y obligaciones en materia de información y documentación clínica: Derecho a la intimidad. El consentimiento informado. Protección de datos: datos especialmente protegidos. Datos relativos a la salud. Deber de secreto (*46 preguntas*) 65

Test n.º 5. Actividades del Auxiliar de Enfermería en centros para personas mayores. Coordinación entre niveles (*51 preguntas*) 79

Test n.º 6. Necesidades de higiene: Concepto. Higiene general y parcial: De la piel y capilar. Técnica de higiene del residente dependiente: Total y parcial. Técnica de baño asistido (*56 preguntas*) 91

Test n.º 7. Atención del Auxiliar de Enfermería al residente encamado: Posición anatómica y alineación corporal. Procedimientos de preparación de las camas. Transferencias. Cambios posturales. Drenajes: Manipulación y cuidado. Las necesidades de movilización de las personas con movilidad reducida. Técnicas de deambulación. Técnicas de traslado. Fisioterapia y terapia ocupacional: colaboración del auxiliar (*117 preguntas*) 105

Test n.º 8. La alimentación de las personas mayores: Principios de la alimentación saludable. Importancia de la alimentación en la relación social. Técnicas para facilitar la alimentación saludable. Alergia alimentaria e Intolerancia alimentaria (*83 preguntas*) 133

Test n.º 9. Introducción a la higiene sanitaria: Higiene alimentaria y Manipuladores de alimentos: definiciones. Los peligros físicos, químicos y biológicos en relación con los alimentos. Riesgos asociados y medidas preventivas 153

Test n.º 10. Atención del Auxiliar de Enfermería en la preparación del paciente para la exploración: Posiciones anatómicas y materiales medico quirúrgicos de utilización más común. Atención pre y post operatoria (*94 preguntas*) 175

Test n.º 11. Vías de administración de los medicamentos: Oral, rectal y tópica. Precauciones para su administración. Condiciones de almacenamiento y conservación. Caducidades (*50 preguntas*) 199

Test n.º 12. Atención del Auxiliar de Enfermería en las necesidades de eliminación: Generalidades. Recogida de muestras: tipos, manipulación, características y alteraciones. Sondajes, ostomías, enemas: Tipos, manipulación y cuidados (*117 preguntas*) 213

Test n.º 13. Atención del Auxiliar de Enfermería al paciente con oxigenoterapia: Métodos de administración de oxígeno, precauciones y métodos de limpieza de material (*44 preguntas*) 239

Test n.º 14. Atención del Auxiliar de Enfermería al enfermo terminal. Apoyo al cuidador principal y familia. Cuidados post mortem (*45 preguntas*) 251

Test n.º 15. Urgencias y emergencias: Concepto. Primeros auxilios en situaciones críticas: Politraumatizados, quemados, shock, intoxicación, heridas, hemorragias, asfixias. Reanimación cardio-pulmonar básica. Mantenimiento y reposición del material necesario (carro de parada). Inmovilizaciones y traslado de enfermos (*84 preguntas*) 263

Test n.º 16. Discapacidad en las personas mayores dependientes: Concepto de discapacidad. Clasificación y etiología de la discapacidad. Características y necesidades de los usuarios dependientes (*30 preguntas*) 283

Test n.º 17. Entrenamiento de hábitos de autonomía personal en situaciones cotidianas: estrategias de intervención. Técnicas de resolución de conflictos. Técnicas básicas de observación. Intervención en situaciones de crisis (*20 preguntas*) 291

Test n.º 18. Técnicas de comunicación con personas dependientes: Tipos de comunicación. Barreras. Pautas para mejorar la comunicación. Técnicas básicas de comunicación no verbal. Comunicación con familiares (*25 preguntas*) 297

Test n.º 19. Actividades de acompañamiento y de relación social, individual y grupal. Técnicas que favorecen la relación social: La animación social, la actividad física, actividades de comunicación y expresión. Actividades socioculturales. Actividades cognitivas. Apoyo durante el periodo de adaptación (*20 preguntas*) 305

Test n.º 20. Participación en la atención psicosocial de las personas dependientes en centros residenciales: adaptación a la institución de las personas mayores. Factores que favorecen o dificultan la adaptación. Apoyo durante el periodo de adaptación (*20 preguntas*) 311

Test n.º 21. Atención y apoyo integral a las personas mayores: Autocuidados, autonomía, relaciones interpersonales: Tiempo libre, estimulación cognitiva. Entorno psicoafectivo. Sexualidad (*39 preguntas*) 317

TEST N.º 1

La Ley 16/2010, de 20 de diciembre, de Servicios Sociales de Castilla y León. El Sistema de Servicios Sociales de Castilla y León. La Gerencia de Servicios Sociales de Castilla y León

1. Los Servicios Sociales de Castilla y León se regulan:

a) Por la Ley 6/2010, de 20 de diciembre.
b) Por la Ley 16/2006, de 20 de diciembre.
c) Por la Ley 16/2010, de 20 de diciembre.
d) Por la Ley 16/2012, de 20 de diciembre.

2. Los servicios sociales, como elemento esencial del Estado de Bienestar, están dirigidos:

a) A alcanzar el pleno desarrollo de los derechos de las personas dentro de la sociedad.
b) A promocionar la cohesión social.
c) A promocionar la solidaridad.
d) Todas son correctas.

3. ¿En qué artículo de la Constitución española se señala que la dignidad de la persona, los derechos inviolables que le son inherentes, el libre desarrollo de la personalidad, el respeto a la ley y a los derechos de los demás son fundamento del orden político y la paz social?

a) En el artículo 2.
b) En el artículo 9.2.
c) En el artículo 10.1.
d) En el artículo 14.1.

4. La regulación de las condiciones básicas que garanticen la igualdad de todos los españoles en el ejercicio de los derechos y en el cumplimiento de los deberes constitucionales, corresponde al Estado:

a) Como competencia exclusiva.
b) Como competencia compartida.

c) Como competencia de ejecución.
d) Todas son falsas.

5. El artículo 148.1.20 de la Constitución establece que las Comunidades Autónomas podrán asumir competencias en materia de:

a) Seguridad social.
b) Asistencia social.
c) Atención a la dependencia.
d) La respuesta a) y la b) son correctas.

6. El Estatuto de Autonomía de Castilla y León reconoce el derecho de acceso a los servicios sociales en su artículo:

a) 11.
b) 14.
c) 15.
d) Todas son falsas.

7. El Estatuto de Autonomía de Castilla y León, en materia de asistencia social, servicios sociales y desarrollo comunitario, atribuye a la Comunidad de Castilla y León:

a) La competencia exclusiva.
b) La competencia de desarrollo normativo.
c) La competencia ejecutiva.
d) La competencia de gestión.

8. Por otro lado, en materia de promoción y atención a las familias, la infancia, la juventud y los mayores, el Estatuto de Autonomía de Castilla y León, atribuye a la Comunidad Autónoma:

a) La competencia exclusiva.
b) La competencia de desarrollo normativo.
c) La competencia ejecutiva.
d) La competencia de gestión.

9. La Ley de Servicios Sociales de Castilla y León consta de:

a) 125 artículos.
b) 145 artículos.
c) 155 artículos.
d) Todas son falsas.

10. El número de Títulos que tiene es:

a) Un Título preliminar y diez Títulos más.
b) Un Título preliminar y once Títulos más.

c) Diez Títulos.
d) Once Títulos.

11. Y el número de Disposiciones finales que tiene, es:

a) Ninguna.
b) Una.
c) Dos.
d) Seis.

12. En la ley, la organización territorial y funcional del sistema de servicios sociales de responsabilidad pública, se regula:

a) En el Capítulo I del Título I.
b) En el Capítulo III del Título III.
c) En el Capítulo II del Título IV.
d) En el Título II.

13. ¿En qué Título se regula la calidad de los servicios sociales?

a) En el Título I.
b) En el Título II.
c) En el Título V.
d) Todas son falsas.

14. ¿En qué Título se regula el Consejo Autonómico de Servicios Sociales?

a) En el Título IX.
b) En el Título X.
c) En el Título IV.
d) En el Título VI.

15. El segundo nivel de organización del sistema de servicios sociales de responsabilidad pública lo componen:

a) Los Centros de Acción Social.
b) Las Áreas Básicas de Salud.
c) Las Áreas de Acción Social.
d) Los consultorios locales.

16. La unidad básica de articulación territorial de los servicios sociales son:

a) Las Zonas de Acción Social.
b) Las Áreas de Acción Social.
c) Las divisiones territoriales cuya creación se justifique por razón de necesidades específicas.
d) Todas son falsas.

17. La organización territorial de los servicios sociales de Castilla y León se determinará:

a) En la Ley de Servicios Sociales de Castilla y León.
b) En las disposiciones reglamentarias.
c) En el Mapa de Servicios Sociales.
d) Todas son falsas.

18. La Zona de Acción Social se configura como unidad de referencia general para:

a) La detección de las necesidades.
b) La asignación de recursos.
c) La planificación de los servicios sociales.
d) Todas son correctas.

19. Cada Zona de Acción Social se corresponderá con una demarcación, que en el medio rural estará constituida:

a) Por el término municipal.
b) Por el área metropolitana.
c) Por una o varias unidades básicas de ordenación y servicios del territorio rurales.
d) Por el Ayuntamiento.

20. Por su parte, en el medio urbano, se corresponderá con una demarcación constituida por un módulo de población de:

a) 10.000 habitantes.
b) 15.000 habitantes.
c) 20.000 habitantes.
d) 50.000 habitantes.

21. Cada Área de Acción Social, excepto cuando las zonas existentes en el territorio referido no alcancen dicho número en cuyo caso se configurará con ellas una única Área, agrupará, al menos:

a) Dos Zonas de Acción Social.
b) Tres Zonas de Acción Social.
c) Cuatro Zonas de Acción Social.
d) Todas son falsas.

22. Cada Área agrupará, como máximo:

a) Cuatro Zonas de Acción Social.
b) Cinco Zonas de Acción Social.
c) Seis Zonas de Acción Social.
d) Diez Zonas de Acción Social.

23. ¿A quién corresponde definir, sobre la base de criterios sociodemográficos, las divisiones territoriales adecuadas para la adscripción de la gestión y dispensación de las prestaciones y la asignación de los centros, servicios, programas y recursos a un ámbito territorial determinado?

a) A la Ley de Servicios Sociales de Castilla y León.
b) A las Zonas de Acción Social.
c) Al Mapa de Servicios Sociales.
d) A las Áreas de Acción Social.

24. ¿Quién emitirá un informe previo a la aprobación del Mapa de Servicios Sociales?

a) El Consejo de Coordinación Interadministrativa del Sistema de Servicios Sociales.
b) La Junta de Castilla y León.
c) La Gerencia de Servicios Sociales.
d) La Consejería competente en materia de servicios sociales.

25. El primer nivel en el sistema de servicios sociales de responsabilidad pública, lo constituyen:

a) Los Equipos de Acción Social Básica.
b) Los Equipos Multidisciplinares Específicos.
c) Los centros de atención primaria.
d) Los centros de atención especializada.

26. Los Equipos de Acción Social Básica desarrollarán su actividad, de carácter multidisciplinar:

a) En los Centros de Salud.
b) En los centros de la seguridad social.
c) En los Centros de Acción Social.
d) En las corporaciones locales.

27. El ámbito territorial de los Equipos de Acción Social Básica, se corresponderá:

a) Con las Áreas de Acción Social.
b) Con la Zona de Acción Social.
c) Con las Áreas Básicas de Salud.
d) Todas son falsas.

28. En cada Zona de Acción Social y dependiente de la entidad local correspondiente, existirá:

a) Un CEAS.
b) Dos CEAS.

c) Tres CEAS.
d) Todas son falsas.

29. Constituyen la unidad funcional de referencia en relación con la valoración de casos, la dispensación de servicios y la coordinación y seguimiento de las prestaciones:

a) Los Equipos de Primera Intervención.
b) Los Equipos de Valoración.
c) Los Equipos de Acción Social Básica.
d) Los equipos médicos.

30. Dentro del sistema de servicios sociales de responsabilidad pública, los Equipos Multidisciplinares Específicos se encuadran:

a) En el Primer Nivel.
b) En el Segundo Nivel.
c) En el Tercer Nivel.
d) Están fuera de estos niveles.

31. No forma parte de las funciones y actividades de los Equipos de Acción Social Básica:

a) Orientación, asesoramiento y derivación de casos.
b) Coordinación y desarrollo de acciones preventivas.
c) Información en relación con los recursos del sistema financiero.
d) Promoción de la convivencia e integración familiar y social.

32. Los Equipos Multidisciplinares Específicos existirán:

a) En cada Área de Acción Social.
b) En cada Zona de Acción Social.
c) En cada Gerencia Territorial.
d) Todas son falsas.

33. Corresponderán a los Equipos Multidisciplinares Específicos las funciones y actividades siguientes:

a) Las de coordinación y seguimiento de casos en relación con las prestaciones aludidas anteriormente.
b) Las de asesoramiento y apoyo a los profesionales de los CEAS.
c) Las de diagnóstico y valoración, planificación de caso, intervención o atención directa, ejecución y demás que específicamente se les encomienden en relación con la dispensación de las prestaciones.
d) Todas son correctas.

34. La creación de la Gerencia de Servicios Sociales de Castilla y León se realizó por:

a) Ley 2/2005.
b) Ley 12/1995.
c) Ley 5/1995.
d) Ley 2/1995.

35. La norma de creación de la Gerencia configura a la misma como:

a) Organismo Autónomo de carácter social.
b) Organismo Autónomo de carácter administrativo.
c) Entidad pública empresarial.
d) Entidad pública social.

36. El número de representantes de la Federación Regional de Municipios y Provincias en el Consejo de Administración de la Gerencia, será:

a) Dos.
b) Cuatro.
c) Tres.
d) Ninguno.

37. ¿Y de las organizaciones empresariales más representativas?

a) Dos.
b) Cuatro.
c) Tres.
d) Ninguno.

38. El Secretario del Consejo de Administración será:

a) El Secretario General de la Consejería.
b) El Gerente.
c) El vocal más antiguo.
d) Un técnico destinado en la Gerencia de Servicios Sociales.

39. El mandato de los miembros del Consejo de Administración que no lo sean por razón de su cargo, deberá ser renovado:

a) Cada dos años.
b) Cada tres años.
c) Cada cuatro años.
d) No puede ser renovado.

40. Las funciones que específicamente tenga atribuidas el Presidente del Consejo de Administración podrán ser objeto de desconcentración o delegación:

a) En el Gerente.
b) En el Vicepresidente.
c) En el Secretario.
d) No podrán ser objeto de desconcentración o delegación.

41. El Vicepresidente del Consejo de Administración será por razón de su cargo:

a) El titular de la Consejería a la que esté adscrita la Gerencia de Servicios Sociales.
b) El Secretario General de la Consejería a la que esté adscrita la Gerencia de Servicios Sociales.
c) Un técnico destinado en la Gerencia de Servicios Sociales.
d) Todas son falsas.

42. El Gerente, como el órgano unipersonal para la dirección y gestión operativa de la Gerencia de Servicios Sociales, tiene rango de:

a) Secretario General.
b) Director General.
c) Viceconsejero.
d) Todas son falsas.

43. El fomento del reconocimiento del valor social de la maternidad y la paternidad, dentro del ámbito competencial de la Gerencia de Servicios Sociales, compete:

a) A la Dirección General de la Mujer.
b) A la Dirección Técnica Administrativa.
c) A la Dirección General de Familias, Infancia y Atención a la Diversidad.
d) A la Dirección Técnica Acceso a los Servicios Sociales y de Atención a la Dependencia.

44. El titular de la Dirección General de la Mujer, en primer lugar, será sustituido en caso de ausencia, vacante o enfermedad:

a) Por el titular del Comisionado Regional para la Droga.
b) Por el titular de la Dirección Técnica Administrativa correspondiente.
c) Por el titular de la Dirección Técnica de Acceso a los Servicios Sociales y de Atención a la Dependencia.
d) Por el titular de la Dirección General de Familias, Infancia y Atención a la Diversidad.

45. Por su parte, el titular del Comisionado Regional para la Droga, en primer lugar, será sustituido en caso de ausencia, vacante o enfermedad:

a) Por el titular de la Dirección General de Personas Mayores, Personas con Discapacidad y Atención a la Dependencia.
b) Por el titular de la Dirección Técnica Administrativa correspondiente.

c) Por el titular de la Dirección Técnica de Acceso a los Servicios Sociales y de Atención a la Dependencia.

d) Por el titular de la Dirección General de Familias, Infancia y Atención a la Diversidad.

46. No es una unidad administrativa que forme parte de la estructura de la Dirección Técnica Administrativa:

a) El Servicio de Administración Económica.
b) El Servicio de Informática.
c) La Asesoría Jurídica.
d) El Servicio de Personal.

47. El Servicio de Infraestructura y Patrimonio forma parte de la estructura de:

a) La Dirección Técnica Administrativa.
b) La Dirección Técnica de Recursos Humanos y Gestión de Centros.
c) La Dirección Técnica de Atención a la infancia.
d) Todas son falsas.

48. El titular de la Dirección Técnica de Atención a Personas Mayores y a Personas con Discapacidad será nombrado:

a) Por el titular de la Consejería a la que esté adscrita la Gerencia de Servicios Sociales.
b) Por el Gerente.
c) Por la Junta de Castilla y León.
d) Por el Consejo de Administración de la Gerencia.

49. En el ámbito provincial de la Comunidad de Castilla y León, la gestión de la Gerencia de Servicios Sociales se realizará a través de:

a) Las Gerencias Provinciales.
b) Las Gerencias Territoriales.
c) Los Ayuntamientos.
d) Los CEAS.

50. El patrimonio de la Gerencia de Servicios Sociales afecto al desarrollo de sus fines tiene consideración de:

a) Dominio público.
b) Bienes patrimoniales.
c) Bienes públicos.
d) Patrimonio social.

Solución al test n.º 1

1. c) Por la Ley 16/2010, de 20 de diciembre.

2. d) Todas son correctas.

3. c) En el artículo 10.1.

4. a) Como competencia exclusiva.

5. b) Asistencia social.

6. d) Todas son falsas.

7. a) La competencia exclusiva.

8. a) La competencia exclusiva.

9. a) 125 artículos.

10. d) Once Títulos.

11. d) Seis.

12. d) En el Título II.

13. c) En el Título V.

14. a) En el Título IX.

15. c) Las Áreas de Acción Social.

16. a) Las Zonas de Acción Social.

17. c) En el Mapa de Servicios Sociales.

18. d) Todas son correctas.

19. c) Por una o varias unidades básicas de ordenación y servicios del territorio rurales.

20. c) 20.000 habitantes.

21. b) Tres Zonas de Acción Social.

22. b) Cinco Zonas de Acción Social.

23. c) Al Mapa de Servicios Sociales.

24. a) El Consejo de Coordinación Interadministrativa del Sistema de Servicios Sociales.

25. a) Los Equipos de Acción Social Básica.

26. c) En los Centros de Acción Social.

27. b) Con la Zona de Acción Social.

28. a) Un CEAS.

29. c) Los Equipos de Acción Social Básica.

30. b) En el Segundo Nivel.

31. c) Información en relación con los recursos del sistema financiero.

32. a) En cada Área de Acción Social.

33. d) Todas son correctas.

34. d) Ley 2/1995.

35. b) Organismo Autónomo de carácter administrativo.

36. a) Dos.

37. a) Dos.

38. d) Un técnico destinado en la Gerencia de Servicios Sociales.

39. c) Cada cuatro años.

40. a) En el Gerente.

41. b) El Secretario General de la Consejería a la que esté adscrita la Gerencia de Servicios Sociales.

42. a) Secretario General.

43. c) A la Dirección General de Familias, Infancia y Atención a la Diversidad.

44. d) Por el titular de la Dirección General de Familias, Infancia y Atención a la Diversidad.

45. d) Por el titular de la Dirección General de Familias, Infancia y Atención a la Diversidad.

46. d) El Servicio de Personal.

47. b) La Dirección Técnica de Recursos Humanos y Gestión de Centros.

48. a) Por el titular de la Consejería a la que esté adscrita la Gerencia de Servicios Sociales.

49. b) Las Gerencias Territoriales.

50. a) Dominio público.

TEST N.º 2

El Sistema de Acción Social de Castilla y León. Las prestaciones del sistema de servicios sociales de responsabilidad pública: Concepto, clasificación y clases. El catálogo de servicios sociales de Castilla y León. La Historia Social única

1. La norma a través de la cual se produjo la efectiva implantación del Sistema de Acción Social de Castilla y León, fue:

a) El Decreto 3/1990.
b) El Decreto 11/1990.
c) El Decreto 13/1990.
d) Todas son falsas.

2. La norma anterior surge con la misión de:

a) Dotar de coherencia al sistema.
b) Concretar las funciones de los CEAS.
c) Regular los Equipos de Acción Social y potenciar la coordinación y la colaboración de la Administración de la Comunidad con las entidades públicas y privadas.
d) Todas son correctas.

3. Los Centros y Servicios del Sistema de Acción Social:

a) Funcionarán de manera autónoma.
b) Estarán convenientemente coordinados dentro del mecanismo de la planificación nacional.
c) Estarán convenientemente coordinados dentro del mecanismo de la planificación regional.
d) Estarán coordinados pero al margen de la planificación.

4. Las prestaciones del Sistema de Servicios Sociales de responsabilidad pública, se regulan:

a) En el Título I de la Ley 16/2010.
b) En el Título II de la Ley 16/2010.
c) En el Título III de la Ley 16/2010.
d) En el Título VI de la Ley 16/2010.

5. A los efectos de la Ley de Servicios Sociales de Castilla y León, las prestaciones del Sistema de Servicios Sociales de responsabilidad pública se calificarán como:

a) Ordinarias y de urgencia.
b) Esenciales y no esenciales.
c) Asistenciales y sociales.
d) Generales y especiales.

6. Las prestaciones del Sistema de Servicios Sociales de responsabilidad pública pueden ser:

a) De servicio.
b) Económicas.
c) Materiales.
d) Todas son correctas.

7. Las prestaciones realizadas por profesionales orientadas al diagnóstico, prevención, atención e inserción y promoción de la autonomía de las personas y, en su caso, de las unidades de convivencia y de los grupos, en función de sus necesidades sociales, se consideran prestaciones:

a) De servicio.
b) Económicas.
c) Materiales.
d) Todas son falsas.

8. Las aportaciones dinerarias provistas por la Administración de la Comunidad de Castilla y León o por las entidades locales con competencia en servicios sociales, orientadas a la integración social, a la atención a situaciones de urgencia, a la promoción de la autonomía y la atención a personas dependientes, se consideran prestaciones:

a) De servicio.
b) Económicas.
c) Materiales.
d) Todas son falsas.

9. El conjunto de recursos económicos que se pueden conceder específicamente o como complemento y soporte de las prestaciones de servicio, se consideran prestaciones:

a) De servicio.
b) Económicas.
c) Materiales.
d) Todas son falsas.

10. Para conseguir los objetivos que se establezcan en función de la necesidad de cada grupo o individuo, las prestaciones:

a) Se pueden combinar entre sí.
b) No se pueden combinar entre sí.
c) Son alternativas.
d) Son consecutivas.

11. Las prestaciones se organizarán:

a) En catálogos.
b) En ficheros.
c) En programas.
d) En plantillas.

12. El instrumento mediante el que se determinan, ordenan y califican las prestaciones del Sistema de Servicios Sociales de responsabilidad pública, es:

a) La ley.
b) El Catálogo de Servicios Sociales.
c) La guía de atención.
d) El catálogo de prestaciones sociales.

13. ¿A quién corresponde gestionar directamente las decisiones relativas a las actuaciones consideradas de importancia estratégica para el sistema?

a) A la Junta de Castilla y León.
b) Al Gobierno central.
c) A la Administración de la Comunidad.
d) A las Cortes.

14. El Catálogo de Servicios Sociales incluirá, al menos:

a) La definición y clasificación de todas las prestaciones.
b) La población excluida de las mismas.
c) La aportación de los familiares.
d) La domiciliación bancaria.

15. Las prestaciones que tengan la calificación de esenciales se identificarán por:

a) La Ley.
b) La Junta de Castilla y León.
c) El Catálogo de Servicios Sociales.
d) Los facultativos.

16. Las prestaciones que tengan la calificación de esenciales estarán garantizadas como:

a) Derecho preferente.
b) Derecho subjetivo.
c) Derecho esencial.
d) Derecho asistencial.

17. El Catálogo de Servicios Sociales de Castilla y León será aprobado:

a) Por la Junta de Castilla y León.
b) Por la Consejería competente en materia de servicios sociales.
c) Por las Cortes de Castilla y León.
d) No requiere su aprobación pero sí su publicación.

18. En relación con lo anterior, con carácter previo, se necesita informe:

a) Del órgano colegiado asesor en materia de atención a la dependencia.
b) Del Consejo consultivo de Castilla y León.
c) Del Consejo de Coordinación Interadministrativa del Sistema de Servicios Sociales.
d) La respuesta a) y la c) son correctas.

19. Dentro de su respectivo ámbito, podrán aprobar sus propios Catálogos de Servicios Sociales que complementen las prestaciones incluidas en el Catálogo de Servicios Sociales de ámbito general:

a) Las Zonas de Acción Social.
b) Las Áreas de Acción Social.
c) Las entidades locales de Castilla y León.
d) Todas son falsas.

20. Las prestaciones esenciales:

a) Serán obligatorias en su recaudación.
b) Estarán en función del índice de demanda existente.
c) Dependerán de cuál sea el nivel de necesidades.
d) Todas son falsas.

21. Tendrán la consideración de prestaciones esenciales:

a) Las de información, orientación y asesoramiento.
b) Las de valoración, planificación de caso y seguimiento.
c) La renta garantizada de ciudadanía.
d) Todas son correctas.

22. Sin embargo, no tendrán la consideración de prestaciones esenciales:

a) La teleasistencia.
b) La ayuda a domicilio.
c) La atención en centro de día y de noche.
d) Todas las anteriores son prestaciones esenciales.

23. Las ayudas destinadas a la atención de necesidades básicas de subsistencia en situaciones de urgencia social, cuando sean de naturaleza económica:

a) No podrán ser objeto de cesión.
b) No podrán ser objeto de embargo.
c) No podrán ser objeto de retención.
d) Todas son correctas.

24. La prestación de teleasistencia tendrá la condición de esencial para las personas que la demanden siempre que tengan:

a) Más de 65 años de edad.
b) Más de 70 años de edad.
c) Más de 75 años de edad.
d) Más de 80 años de edad.

25. Aquellas situaciones de hecho en las que la imposibilidad de asistencia o ayuda por terceros haga precisa la intervención de recursos externos de atención, se consideran:

a) Situaciones de desamparo personal.
b) Situaciones asistenciales.
c) Situaciones de necesidad social.
d) Situaciones de necesidad personal.

26. El acceso a las prestaciones no esenciales, estará sujeto:

a) Al orden de prelación que al efecto se establezca.
b) A la disponibilidad de recursos.
c) Al orden de concurrencia que al efecto se establezca.
d) Todas son correctas.

27. ¿Qué artículo de la Ley 16/2010, de 20 de diciembre se refiere al Catálogo de Servicios Sociales de Castilla y León como el instrumento mediante el que se determinan, ordenan y califican las prestaciones del Sistema de Servicios Sociales de responsabilidad pública?

a) El artículo 6.
b) El artículo 16.

c) El artículo 26.
d) El artículo 36.

28. El catálogo de Servicios Sociales se aprueba mediante:

a) El Decreto 8/2014.
b) El Decreto 54/2014.
c) El Decreto 58/2014.
d) Todas son falsas.

29. El decreto por el que se aprueba el catálogo de Servicios Sociales prevé en su disposición adicional única:

a) Un mecanismo sancionador.
b) Un mecanismo procedimental.
c) Un mecanismo de actualización.
d) Un mecanismo de revocación.

30. Las fichas descriptivas en las que se determinan los diferentes elementos configuradores de cada una de las prestaciones, se recogen:

a) En una Orden de la Gerencia.
b) En el Anexo I del Catálogo.
c) En el Anexo II del Catálogo.
d) Todas son falsas.

31. La naturaleza esencial o no esencial de la prestación, deberá figurar:

a) En la solicitud.
b) En el expediente económico.
c) En las fichas descriptivas.
d) En la documentación adicional.

32. Las prestaciones del Sistema de Servicios Sociales de responsabilidad pública ¿con arreglo a cuántos niveles de atención se ordenan en el catálogo?

a) Dos.
b) Tres.
c) Cuatro.
d) Cinco.

33. El conjunto de prestaciones dirigidas a procurar una atención estable y prolongada en el tiempo, que se instrumentará, principalmente, a través de la atención residencial, se incluyen dentro de:

a) Las prestaciones de acceso al sistema.
b) Las prestaciones de atención inmediata o de proximidad.

c) Las prestaciones de atención alternativa al mantenimiento en el entorno y hogar familiar.
d) Otras prestaciones.

34. La atención inmediata o de proximidad se incluye:

a) En el Nivel I.
b) En el Nivel II.
c) En el Nivel III.
d) En el Nivel IV.

35. Y las prestaciones que dan acceso al Sistema de Servicios Sociales de responsabilidad pública, se incluyen:

a) En el Nivel I.
b) En el Nivel II.
c) En el Nivel III.
d) En el Nivel IV.

36. Aquella situación de naturaleza apremiante que afecta y compromete las capacidades personales, los recursos y medios de subsistencia, las relaciones familiares y sociales y la seguridad, generando a las personas afectadas una situación de desprotección grave, se define como:

a) Situación de urgencia extrema.
b) Situación de necesidad extrema.
c) Situación de necesidad personal.
d) Situación de última necesidad.

37. ¿Quién adoptará las medidas de inspección, seguimiento y control oportunas, al objeto de garantizar la calidad de las prestaciones, el tratamiento homogéneo y el eficiente funcionamiento del Sistema de Servicios Sociales de responsabilidad pública?

a) La Inspección General de Servicios.
b) La Inspección médica.
c) La Junta de Castilla y León.
d) La Consejería competente en materia de servicios sociales.

38. La información relativa a cada persona usuaria sobre sus solicitudes y demandas de servicios sociales y sobre las valoraciones para el acceso al Sistema de Servicios Sociales y sus prestaciones, constituye:

a) El Catálogo de Servicios Sociales.
b) El registro único de personas usuarias.

c) La historia social única.
d) El Registro General.

39. No es correcta la siguiente afirmación sobre el registro único de personas usuarias del Sistema de Servicios Sociales:

a) Es un sistema de información.
b) Se configura como base de datos de la historia social única.
c) Está adscrito a la Gerencia de Servicios Sociales de Castilla y León.
d) El responsable de su organización es el Consejo de Coordinación Interadministrativa del Sistema de Servicios Sociales.

40. No es una función de la historia social:

a) Dar continuidad a la atención social derivada de las necesidades surgidas a lo largo del ciclo vital de la persona.
b) Mejorar la coordinación de las entidades y los profesionales implicados en la intervención social.
c) Servir de apoyo a los profesionales de los servicios sanitarios para desarrollar su actividad con calidad, eficacia y eficiencia.
d) Facilitar la investigación e innovación en el funcionamiento de los servicios sociales.

41. El documento que identifica a los ciudadanos como personas usuarias del Sistema de Servicios Sociales de responsabilidad pública de Castilla y León se denomina:

a) Tarjeta sanitaria.
b) Ficha de identidad personal.
c) Ficha de usuario.
d) Tarjeta de usuario.

42. El conjunto de prestaciones del Catálogo de Servicios Sociales recibidas por la persona usuaria, así como las actuaciones complementarias realizadas se denomina:

a) Valoraciones técnicas.
b) Seguimiento.
c) Intervenciones sociales.
d) Ficha.

43. No es un dato a recoger en la ficha de identidad personal:

a) Número y fecha de apertura de la historia social.
b) Datos de identidad y domicilio de la persona.
c) Solicitudes de servicios sociales formalizadas por otros miembros de la unidad familiar.
d) Identificación de la Zona de Acción Social y el Ayuntamiento o la Diputación Provincial titular del Centro de Acción Social correspondiente al domicilio.

44. La historia social se actualizará:

a) Mensualmente.
b) Trimestralmente.
c) Semestralmente.
d) Permanentemente.

45. ¿Quién tendrá acceso a toda la información obrante en la historia social?

a) El asistente social.
b) El director de caso.
c) El coordinador de caso.
d) Todas son falsas.

46. La gestión y custodia de la historia social única corresponderá:

a) A cada zona de acción social.
b) A cada área de acción social.
c) A la Gerencia de Servicios Sociales de Castilla y León.
d) Todas son falsas.

47. La consulta de la historia social con fines de salud pública, de investigación o docencia:

a) Preservará los datos de identificación personal.
b) Los datos de identificación personal estarán separados de los de carácter asistencial.
c) Debe quedar asegurado el anonimato.
d) Todas son correctas.

48. Cuando en el curso de una investigación policial se considere imprescindible la unificación de los datos identificativos con los asistenciales:

a) Se recabará el consentimiento previo de la persona interesada para no separarlos.
b) Se recabará el acuerdo del juez.
c) Se recabará orden judicial.
d) Se recabará requerimiento judicial.

49. La conservación de los datos contenidos en la historia social se regirá:

a) Por la normativa aplicable en materia sanitaria.
b) Por la normativa aplicable en materia de archivos y patrimonio documental.
c) Por la normativa aplicable en materia de procedimiento administrativo.
d) Todas son falsas.

50. Al objeto de salvaguardar la intimidad de las personas usuarias, los profesionales que tengan acceso a la historia social única:

a) Deberán guardar discreción sobre su contenido.

b) Podrá ser facilitado a otros profesionales aunque no estuvieran implicados en el proceso de atención.

c) No puede ser utilizado con fines distintos a los que motivaron el acceso.

d) Todas son correctas.

Solución al test n.º 2

1. c) El Decreto 13/1990.

2. d) Todas son correctas.

3. c) Estarán convenientemente coordinados dentro del mecanismo de la planificación regional.

4. a) En el Título I de la Ley 16/2010.

5. b) Esenciales y no esenciales.

6. d) Todas son correctas.

7. a) De servicio.

8. b) Económicas.

9. d) Todas son falsas.

10. a) Se pueden combinar entre sí.

11. c) En programas.

12. b) El Catálogo de Servicios Sociales.

13. c) A la Administración de la Comunidad.

14. a) La definición y clasificación de todas las prestaciones.

15. c) El Catálogo de Servicios Sociales.

16. b) Derecho subjetivo.

17. a) Por la Junta de Castilla y León.

18. d) La respuesta a) y la c) son correctas.

19. c) Las entidades locales de Castilla y León.

20. d) Todas son falsas.

21. d) Todas son correctas.

22. d) Todas las anteriores son prestaciones esenciales.

23. d) Todas son correctas.

24. d) Más de 80 años de edad.

25. a) Situaciones de desamparo personal.

26. d) Todas son correctas.

27. b) El artículo 16.

28. c) El Decreto 58/2014.

29. c) Un mecanismo de actualización.

30. c) En el Anexo II del Catálogo.

31. c) En las fichas descriptivas.

32. c) Cuatro.

33. c) Las prestaciones de atención alternativa al mantenimiento en el entorno y hogar familiar.

34. b) En el Nivel II.

35. a) En el Nivel I.

36. b) Situación de necesidad extrema.

37. d) La Consejería competente en materia de servicios sociales.

38. c) La historia social única.

39. d) El responsable de su organización es el Consejo de Coordinación Interadministrativa del Sistema de Servicios Sociales.

40. c) Servir de apoyo a los profesionales de los servicios sanitarios para desarrollar su actividad con calidad, eficacia y eficiencia.

41. b) Ficha de identidad personal.

42. c) Intervenciones sociales.

43. c) Solicitudes de servicios sociales formalizadas por otros miembros de la unidad familiar.

44. d) Permanentemente.

45. c) El coordinador de caso.

46. c) A la Gerencia de Servicios Sociales de Castilla y León.

47. d) Todas son correctas.

48. a) Se recabará el consentimiento previo de la persona interesada para no separarlos.

49. b) Por la normativa aplicable en materia de archivos y patrimonio documental.

50. c) No puede ser utilizado con fines distintos a los que motivaron el acceso.

TEST N.º 3

Buenas prácticas en prevención de riesgos biológicos: Precauciones estándar. Precauciones específicas basadas en el mecanismo de transmisión. Equipos de Protección Individual y ropa de trabajo. Procedimientos seguros de higiene personal y en la manipulación de objetos cortopunzantes. Limpieza, desinfección y esterilización de instrumentales y superficies. Procedimientos de trabajo seguros en la manipulación de residuos. Actuación en caso de Accidente biológico

1. ¿Qué normativa de estas trata de la protección de los trabajadores contra los riesgos relacionados con la exposición a agentes biológicos durante el trabajo?

a) Ley 31/1995, de 8 de noviembre.
b) Ley 13/1990, de 22 de abril.
c) RD 664/1997, de 12 de mayo.
d) RD 438/2005, de 21 de mayo.

2. Las precauciones universales y estándares respecto a los riesgos relacionados con la exposición a agentes biológicos durante el trabajo tratan esencialmente de:

a) Mantener una actitud constante de autoprotección.
b) Aplicar el principio fundamental de que todas las muestras deben manipularse como si fueran infecciosas.
c) Tener hábitos de trabajo seguros.
d) Todo lo anterior es cierto.

3. ¿Qué medida universal de estas respecto a los riesgos relacionados con la exposición a agentes biológicos durante el trabajo en ambientes hospitalarios es del tipo inmunización activa?

a) Suero frente a hepatitis B.
b) Vacunación frente a hepatitis B.

c) Quimioprofilaxis antivírica.
d) Todo lo anterior es cierto.

4. ¿Qué se define como la exposición que sufre un trabajador a sangre, tejidos o fluidos potencialmente infecciosos a través de una herida percutánea, contacto con mucosa o sobre piel no intacta?

a) Riesgo microbiológico.
b) Accidente de riesgo biológico.
c) Circunstancia bacteriológica.
d) Incidente biológico.

5. ¿Qué procedimiento es aquel que comprende la destrucción de todos los gérmenes, incluidos esporas bacterianas, que pueda contener un material?

a) Desisfestación.
b) Esterilización.
c) Antisepción.
d) Desinfección.

6. ¿Cuál de estas precauciones es universal respecto a los riesgos relacionados con la exposición a agentes biológicos durante el trabajo?

a) Vacunación (inmunización activa) y normas de higiene personal.
b) Elementos de protección de barrera y tener cuidado en la manipulación de objetos cortantes.
c) Esterilización y desinfección correcta de instrumentales y superficies.
d) Son todas las anteriores.

7. ¿Qué riesgo de contagio después de un accidente con riesgo biológico por pinchazo o corte se evalúa para el virus de la hepatitis C (según la NTP n.º 447, del INSHT)?

a) 30%.
b) 3%.
c) 0,3%.
d) 0,03%.

8. ¿Qué porcentaje aproximado de los casos de infección aguda con VHC se convierte en crónico?

a) Menos del 15%.
b) Entre el 15 y el 25 %.
c) Entre el 25 y el 45%.
d) Más del 50%.

9. La mayoría de las seroconversiones en el personal de enfermería frente al VIH fueron:

a) Relacionadas con extracciones sanguíneas.
b) Producidas por pinchazos.
c) Estos riesgos no se dan en el personal de enfermería.
d) Son ciertas a y b.

10. ¿Con qué medio se lleva a cabo, a las dosis apropiadas, la profilaxis frente al VIH?

a) Vacuna.
b) Suero específico.
c) Gammaglobulina.
d) AZT.

11. ¿De qué trata la NTP n.º 398, del INSHT? Trata sobre...

a) El SIDA.
b) Patógenos transmitidos por la sangre: un riesgo laboral.
c) La actuación frente a un accidente con riesgo biológico.
d) Actuación frente al tétanos en el trabajo.

12. ¿Cuál es el mecanismo de transmisión más frecuente respecto a la exposición laboral a los patógenos transmitidos por la sangre?

a) La inoculación accidental por pinchazos.
b) Las salpicaduras de sangre a los ojos.
c) El contacto con las prendas o equipos contaminados con sangre fresca.
d) Las salpicaduras de sangre a la piel donde existan pequeños cortes o abrasiones.

13. ¿Qué colectivo de riesgo se caracteriza por verse afectado por la exposición biológica de todos los trabajadores del grupo, según la Federal Register del 6 de diciembre de 1991, de la OSHA de EEUU?

a) Primer grupo.
b) Segundo grupo.
c) Tercer grupo.
d) Cuarto grupo.

14. ¿Quién es el responsable en el ámbito laboral frente a los trabajadores con riesgos biológicos de proporcionar la vacunación y posterior seguimiento médico de forma gratuita, equipos de protección e información y formación sobre las medidas a adoptar para una protección adecuada?

a) Los propios trabajadores.
b) El empresario.

c) Las organizaciones sindicales.
d) Nada de lo anterior es cierto.

15. ¿Qué medida propuesta por la CDC de los EEUU frente a riesgos biológicos en el trabajo por los patógenos transmisibles a través de la sangre es falsa?

a) Todos los trabajadores sanitarios deben utilizar medios de protección en forma de barrera para evitar la exposición de la piel y de las mucosas a la sangre y a los distintos fluidos corporales de los pacientes.
b) Hay que tomar las precauciones necesarias para evitar lesiones provocadas por agujas, bisturíes y objetos cortantes.
c) Se deben reencapuchar las agujas y retirarlas de las jeringas desechables.
d) Los objetos cortantes y punzantes, una vez utilizados, deben colocarse en un envase resistente a los pinchazos, próximo al área de trabajo, para posteriormente ser eliminados.

16. El estudio de la gestión de los equipos de protección individual (EPIs) en los Centros Sanitarios viene recogido en la nota técnica de prevención (del INSHT) número:

a) 351.
b) 458.
c) 572.
d) 802.

17. ¿Qué protección individual no está recomendada en el banco de sangre en los Centros Sanitarios?

a) Guantes de varios usos (procesados por esterilización para que sean reutilizables).
b) Ropa de trabajo.
c) Gafas protectoras herméticas en caso de riesgo de salpicaduras o aerosoles.
d) Mascarillas o pantallas de seguridad en caso de riesgo de salpicaduras o aerosoles.

18. Un agente causal es un organismo vivo que debe cumplir los postulados de Koch. ¿Cuál de los siguientes no es uno de ellos?

a) Si se inocula un cultivo puro a un animal susceptible se reproduce la enfermedad.
b) El microorganismo siempre se encuentra en la enfermedad.
c) El microorganismo origina una respuesta inmune aunque esta no sea detectable en el laboratorio.
d) Se debe aislar y cultivar desde las lesiones.

19. La relación entre agente y huésped denominada como comensalismo se caracteriza por:

a) La asociación con beneficios para agente y huésped.
b) El agente obtiene beneficio del huésped perjudicándolo.

c) El agente se beneficia del huésped, pero sin perjudicarlo.
d) El agente y el huésped se perjudican mutuamente y no se benefician.

20. El agente que origina una enfermedad y el huésped susceptible de padecerla pueden interaccionar de diversas formas que pueden intercambiarse entre sí; así, si decimos que el tipo de interacción que presentan es aquella en la que existe beneficio para ambos hablamos de una interacción de:

a) Parasitismo.
b) Simbiosis.
c) Comensalismo.
d) Canibalismo.

21. A la capacidad de un agente etiológico para extenderse se denomina:

a) Contagiosidad.
b) Infectividad.
c) Patogenicidad.
d) Virulencia.

22. El agente etiológico depende de varios factores para tener capacidad de producir enfermedad en el ser humano; la capacidad para originar una enfermedad se denomina:

a) Patogenicidad.
b) Virulencia.
c) Infectividad.
d) Contagiosidad.

23. ¿Cuál de los siguientes no es un eslabón de la cadena epidemiológica?

a) Ciclo reproductivo.
b) Fuente de infección.
c) Reservorio.
d) Mecanismo de transmisión.

24. Respecto al reservorio telúrico. Indique la verdadera:

a) Los microorganismos generalmente son poco resistentes.
b) Los microorganismos no precisan condiciones ambientales determinadas, en ningún caso.
c) Una parte del ciclo evolutivo se produce en el suelo.
d) Los microorganismos no se influencian por las defensas del huésped.

25. Uno de los siguientes es ejemplo de portador sano. Indíquelo:

a) Paciente que se encuentra en período de incubación de hepatitis.
b) Paciente con Neisseria meningitidis en un control profesional de exudado nasal.
c) Paciente que ha padecido una salmonelosis de la que se ha curado con cultivo positivo en heces.
d) Paciente que ha padecido una fiebre tifoidea de la que ha curado, pero elimina gérmenes durante el primer mes.

26. Los reservorios más frecuentes presentan una serie de características dependiendo de cuál sea; en el caso del reservorio humano portador podemos identificar varios tipos como el portador paradójico, que es:

a) Aquel que elimina gérmenes saprofitos.
b) Aquel que desconoce su enfermedad.
c) Aquel que ha pasado la enfermedad pero está en periodo convaleciente.
d) Ninguna es cierta.

27. Son varios los vehículos de transmisión que pueden presentar las enfermedades transmisibles, uno de ellos son los fómites que son:

a) Agentes naturales donde los microorganismos forman esporas.
b) Seres inanimados que transmiten enfermedades.
c) Órganos anejos del ser humano.
d) Todas son ciertas.

28. Una de las siguientes zoonosis puede cursar en forma de epidemia:

a) Rabia.
b) Brucelosis.
c) Dermatofitosis.
d) Fiebre Q.

29. Uno de los siguientes gérmenes es típico del reservorio telúrico, indíquelo:

a) Tétanos.
b) Rabia.
c) Virus de la Hepatitis B.
d) Virus de la inmunodeficiencia humana.

30. El mecanismo de transmisión es el conjunto de técnicas que utiliza el germen para ponerse en contacto con el huésped. Los mecanismos de transmisión varían en función de una serie de factores, como:

a) La puerta de entrada.
b) La gravedad de la enfermedad.

c) El periodo de incubación.
d) Todas son ciertas.

31. Existen diversas vías de transmisión de enfermedades que podemos dividir en varios grupos, ¿cuál de las siguientes no es de trasmisión por contacto directo?

a) Sexual.
b) Mucosas.
c) Aérea.
d) Transplacentaria.

32. La infección que aparece durante la hospitalización del paciente y que no se hallaba presente, o en periodo de incubación en el momento de admisión del enfermo en el centro, independientemente de que se manifieste o no durante su estancia en el hospital, se denomina:

a) Infección nosocomial.
b) Infección recurrente.
c) Infección concomitante.
d) Infección latente.

33. El mayor número de muertes relacionadas con las infecciones nosocomiales se deben a:

a) Bacteriemias por candidas.
b) Infecciones urinarias.
c) Tuberculosis.
d) Neumonías.

34. El proyecto EPINE de prevalencia de la infección nosocomial se realiza en los principales hospitales españoles, ¿cuál es el servicio del hospital que se encarga de la recogida de datos?

a) Unidad de laboratorio
b) Unidad de infecciosos.
c) Medicina intensiva.
d) Medicina preventiva.

35. Los agentes responsables de un mayor número de muertes relacionados con las infecciones nosocomiales son:

a) Bacterias gram positivas.
b) Bacterias gram negativas.
c) Hongos.
d) Virus.

36. ¿Cuál de los siguientes microorganismos es más probable su aparición en pacientes inmunodeprimidos?

a) Escherichia coli.
b) Candida albicans.
c) Staphilococcus aureus.
d) Citomegalovirus.

37. Cuando la infección nosocomial es causada por microorganismos pertenecientes a la propia flora comensal del paciente se dice que es:

a) Endógena.
b) Exógena.
c) Nosocomial primaria.
d) Nosocomial secundaria.

38 Entre las bacterias gram negativas avirulentas, la que se aísla con mayor frecuencia es:

a) Staphylococcus aureus.
b) Staphylococcus epidermidis.
c) Pseudomonas.
d) Escherichia coli.

39. La principal medida para prevenir la transmisión de infecciones por contacto directo es:

a) Esterilización de instrumentos médicos.
b) Vigilancia de los alimentos.
c) Desinfección de quirófanos.
d) Lavado de manos del profesional sanitario.

40. ¿Cuál de las siguientes entidades nosológicas ocupan el primer lugar en las infecciones hospitalarias en la actualidad?

a) Infecciones respiratorias.
b) Infecciones urinarias.
c) Infecciones de heridas quirúrgicas.
d) Bacteriemias.

41. Conocemos las heridas traumáticas no recientes (más de 8 horas) con tejido desvitalizado como:

a) Cirugía limpia-contaminada.
b) Cirugía sucia o infectada.

c) Cirugía limpia.
d) Cirugía contaminada.

42. Cuando en cirugía se penetra en cavidades comunicadas con el exterior, la herida es:

a) Limpia.
b) Limpia-contaminada.
c) Contaminada.
d) Sucia o infectada.

43. Las heridas traumáticas con más de 8 horas de evolución y con presencia de tejido desvitalizado se denominan:

a) Limpias.
b) Contaminadas.
c) Limpias-contaminadas.
d) Sucias o infectadas.

44. Tomando como referencia los grados de eficacia de las medidas de prevención de las infecciones nosocomiales, los sistemas de vigilancia epidemiológica se incluirían en:

a) Eficacia dudosa.
b) Medidas de eficacia probada.
c) Eficacia desconocida.
d) Eficacia lógica.

45. Tomando como referencia los grados de eficacia de las medidas de prevención de las infecciones nosocomiales, el empleo de guantes se incluirían en:

a) Eficacia dudosa.
b) Medidas de eficacia probada.
c) Eficacia desconocida.
d) Eficacia lógica.

46. De las siguientes medidas de prevención de las infecciones nosocomiales, se considera de eficacia dudosa o desconocida:

a) Lavado de manos.
b) Empleo de nebulizadores.
c) Empleo de guantes.
d) Vacunación del personal sanitario.

47. Cuál de los siguientes elementos no puede considerarse como de protección de barrera:

a) Guantes de látex.
b) Mascarillas venturi.
c) Pijama sanitario.
d) Gafas de protección.

48 ¿Cuándo es necesario la colocación de guantes estériles?

a) Al manipular material limpio.
b) En la administración de medicación oral.
c) En las exploraciones radiológicas.
d) Todas las alternativas anteriores son falsas.

49. ¿Cómo se coloca el gorro quirúrgico?

a) Cubriendo totalmente el cabello y dejando libres los oídos.
b) Cubriendo totalmente el cabello y los oídos.
c) Cubriendo la raíz del cabello, los oídos y las cejas.
d) Cubriendo la raíz del cabello y dejando libres los oídos.

50. ¿Cuál de las siguientes afirmaciones sobre la vestimenta de quirófano es falsa?

a) Las mascarillas son piezas de un solo uso, desechables, que, al colocarlas sobre la boca y la nariz, actúan de filtro para el aire exhalado.
b) La bata rusa es usada en el quirófano por el personal no estéril.
c) Las calzas son una especie de fundas, que se usan en quirófano y áreas estériles (aislamientos), para cubrir el calzado y evitar la propagación de la contaminación en esas zonas.
d) Los gorros están hechos de papel o tela, hay que colocárselo de manera que cubra totalmente el pelo, incluyendo las patillas y el vello facial.

51. Para la colocación de la bata estéril, se coge por él:

a) Exterior.
b) Interior.
c) Por el interior o por el exterior.
d) Ninguna de las respuestas anteriores es correcta.

52. En el caso de realizarse un lavado quirúrgico de manos es necesaria la utilización de un jabón antiséptico y prolongar el tiempo de lavado durante:

a) 5 minutos.
b) 15 minutos.

c) 25 minutos.
d) 35 minutos.

53. El lavado de manos no está indicado:

a) Al llegar al trabajo y al terminar la jornada.
b) Después de utilizar los servicios.
c) Antes, durante y después de realizar la higiene del paciente.
d) Antes de administrar medicamentos.

54. El lavado reiterado de las manos puede producir:

a) Eritema.
b) Flictenas.
c) Úlceras.
d) Necrosis de tejidos.

55. Para evitar las irritaciones producidas por el continuo lavado de manos se recomienda:

a) Realizar el lavado sólo al llegar y al terminar la jornada.
b) Utilizar guantes durante toda la jornada de trabajo.
c) Lavarse las manos sólo después de utilizar los servicios.
d) Usar cremas protectoras.

56. El lavado de manos en clínica se puede clasificar en:

a) Lavado de manos especial.
b) Lavado de manos quirúrgico.
d) Lavado de manos rutinario.
d) Todas son correctas.

57. El lavado de manos especial se realiza durante un tiempo de:

a) 15 minutos.
b) 2 minutos.
c) 1 minuto.
d) 3 minutos.

58. Al conjunto de técnicas utilizadas para la eliminación de microorganismos de los objetos, materiales, superficies, etc., se las conoce genéricamente como:

a) Antisepsia.
b) Desinfección.
c) Limpieza.
d) Asepsia.

59. En la antisepsia se utilizan:

a) Gammaglobulinas.
b) Productos químicos.
c) Desinfectantes.
d) b y c son correctas.

60. El material fungible usado en clínica se caracteriza porque:

a) Suele ser frágil.
b) Suele tener una vida corta.
c) Puede ser desechable (de un solo uso) o no.
d) Todas.

61. Es fungible:

a) Material de vidrio.
b) Bisturí.
c) Sondas.
d) Todos.

62. Según la peligrosidad infectiva del material e instrumental usado en clínica se clasifica en:

a) Crítico, semicrítico y no crítico.
b) Desinfectado o no.
c) Estéril o no.
d) Apto o no apto para el uso.

63. Un material clínico que para su uso exige estar desinfectado pero no es imprescindible su esterilización, pertenece al grupo de los materiales denominados por su peligrosidad infectiva:

a) No crítico.
b) Crítico.
c) Semicrítico.
d) Cualquiera.

64. Pertenecen al grupo de material no crítico:

a) Sábanas.
b) Orinales.
c) Mesita de noche.
d) Todos.

65. La acción que consiste en suprimir los microorganismos patógenos existentes en la habitación del enfermo, ropa, manos, piel, etc., se denomina:

a) Desinfección.
b) Desinsectación.
c) Asepsia.
d) Esterilización.

66. La desinsectación es:

a) La supresión de microorganismos patógenos existentes en la habitación del enfermo, ropa, etc.
b) Un conjunto de técnicas para eliminar los artrópodos.
c) Un conjunto de técnicas para eliminar gérmenes o microorganismos, tanto en superficie como en el interior.
d) Utilización de productos químicos para destruir los microorganismos contaminantes.

67. Los productos que se aplican en la piel para evitar las picaduras de insectos se denominan:

a) Repelentes.
b) Asfixiantes.
c) Ahuyentadores.
d) a y c son correctas.

68. La ebullición es un método:

a) Para la desinfección.
b) Para la esterilización.
c) De limpieza.
d) Muy usado para esterilizar jeringas y agujas.

69. Un antiséptico:

a) Se usa sobre piel y heridas.
b) Es desinfectante.
c) Es el agua oxigenada (H_2O_2).
d) Todas son correctas.

70. Un desinfectante:

a) Debe tener estabilidad como producto químico.
b) Debe tener bajo costo.
c) Biodegradable.
d) Todas son correctas.

71. Un producto bactericida:

a) Mata los microorganismos.
b) Inhibe el crecimiento de los microorganismos.
c) Estimula la inmunidad.
d) Limpia.

72. Para la desinfección de la piel se usan:

a) Desinfectantes.
b) Antisépticos.
c) Técnicas de esterilización.
d) Antibióticos.

73. Es un antiséptico:

a) El agua oxigenada.
b) El yodo.
c) Alcohol yodado.
d) Todos.

74. La destrucción de todos los microorganismos patógenos, con exclusión de las esporas se denomina:

a) Asepsia.
b) Antisepsia.
c) Desinfección.
d) Esterilización.

75. Dentro de los procedimientos físicos de desinfección no se encuentra:

a) Antisépticos.
b) Ultrasonidos.
c) Rayos solares.
d) Hervido.

76. Los rayos solares actúan por medio de:

a) Radiaciones Gamma.
b) Radiaciones Beta.
c) Radiaciones Ionizantes.
d) Radiaciones Ultravioleta.

77. No es un antiséptico:

a) La Povidona yodada.
b) El Alcohol.

c) La Clorhexidina.
d) El Hipoclorito sódico.

78. Entre las técnicas de desinfección se encuentra/n:

a) La inmersión.
b) La loción.
c) La vaporización.
d) Todas son correctas.

79. El Óxido de etileno:

a) Utiliza procedimientos físicos.
b) Es bactericida.
c) Es bacteriostático.
d) Es un antiséptico.

80. ¿Con qué otro nombre es conocido el Hipoclorito sódico?

a) Mercurio.
b) Yoduro.
c) Glutaraldehído.
d) Lejía.

81. A la técnica de desinfección que consiste en introducir instrumentos en una solución desinfectante durante cierto tiempo, se le denomina:

a) Loción.
b) Brumas.
c) Inmersión.
d) Pulverización.

82. Uno de los inconvenientes que presenta la utilización de óxido de etileno es que:

a) Es un gas muy inflamable.
b) Puede producir intoxicaciones agudas (tóxicos).
c) Existen sospechas que puede ser cancerígeno, teratogénico y productor de abortos.
d) Todas las opciones anteriores son correctas.

83. Señale la opción incorrecta. En cuanto a las desventajas o inconvenientes del uso del hipoclorito sódico, destaca:

a) Es un compuesto inestable.
b) Es muy irritante.
c) Es corrosivo para los metales.
d) Es muy caro.

84. Para realizar la técnica de la pasteurización se debe alcanzar la temperatura de:

a) 158 ºC.
b) 124 ºC.
c) 68 ºC.
d) 73 ºC.

85. De los siguientes materiales, ¿cuáles se colocan en la parte inferior de un carro de curas?

a) Guantes estériles.
b) Frascos con antisépticos a emplear.
c) Vendas.
d) Apósitos.

86. La desinfección que solo es activa frente a virus lipídicos de tamaño medio, bacterias en forma vegetativa y hongos es la denominada desinfección:

a) De alto nivel.
b) De muy alto nivel.
c) De nivel intermedio.
d) De bajo nivel.

87. ¿Cuál de los siguientes productos empleados en desinfección es compuesto fenólico?

a) Hexaclorofeno.
b) Hipoclorito sódico.
c) Formaldehído.
d) Glutaraldehído.

88. La esterilización:

a) Destruye las bacterias, virus, hongos y cualquier forma de vida.
b) Destruye las formas de resistencia de las bacterias (esporas).
c) No es capaz de destruir el virus del Sida.
d) Son ciertas las respuestas a y b.

89. La esterilización por autoclave:

a) Utiliza calor seco.
b) Utiliza vapor de agua a presión.
c) Utiliza radiaciones ionizantes.
d) Se basa en el uso directo de la llama.

90. La esterilización en autoclave se basa en:

a) Un método físico que usa calor seco.
b) Un método físico que utiliza radiaciones.
c) Un método químico que usa óxido de etileno.
d) Un método físico que usa calor húmedo (vapor de agua a presión).

91. En esterilización no se incluyen los controles:

a) Físicos.
b) Químicos.
c) Biológicos.
d) Bioestáticos.

92. El sistema idóneo para la esterilización de material textil es:

a) Calor húmedo.
b) Calor seco.
c) Radiaciones ionizantes.
d) Flameado.

93. ¿Cuál de las siguientes afirmaciones sobre la esterilización en autoclave es incorrecta?

a) Es económica.
b) Es segura.
c) No deteriora los materiales de goma o plástico.
d) No contamina ni deja residuos.

94. Entre los materiales que pueden esterilizarse en autoclave se incluyen:

a) Textiles.
b) Envases.
c) Bateas.
d) Todas son correctas.

95. El tiempo necesario para la esterilización en autoclave es de:

a) 126 ºC durante 30 minutos.
b) 121 ºC durante 15 minutos.
c) 180 ºC durante 15 minutos.
d) 134 ºC durante 15 minutos.

96. El flameado se utiliza para esterilizar:

a) Jeringas de cristal.
b) Paños quirúrgicos.

c) Gasas.
d) Asas de siembra.

97. La estufa Poupinel a una temperatura de 160 ºC, ¿qué tiempo necesita para esterilizar?

a) 30 minutos.
b) 60 minutos.
c) 120 minutos.
d) 2 horas y media.

98. Para esterilizar materiales de goma se utiliza:

a) Óxido de etileno.
b) Autoclave de vapor de agua.
c) Flameado.
d) Horno de Pasteur.

99. En la esterilización con rayos ultravioleta se utiliza un tubo emisor de radiación que debe colocarse a una distancia del objeto a esterilizar de:

a) 1 metro.
b) 2 metros.
c) 40 cm.
d) 80 cm.

100. Para evitar el riesgo de inflamación del óxido de etileno, éste se diluye con:

a) Cloroformo.
b) Dióxido de carbono.
c) Cloruro potásico.
d) Nitrato de plata.

101. Los indicadores colorimétricos son métodos de control de esterilización que emplean:

a) Control físico.
b) Control químico.
c) Control biológico.
d) Control bioquímico.

102. El control de esterilización biológico utiliza:

a) Hongos atenuados.
b) Virus atenuados.
c) Bacterias atenuadas.
d) Esporas atenuadas.

103. Una vez esterilizado el material, el periodo de vigencia de la esterilización depende de:

a) El tipo de envoltorio.
b) Las condiciones de almacenamiento.
c) El tipo de material.
d) Todas son correctas.

104. Tenemos un material para esterilizar en la estufa Poupinel durante 30 minutos. ¿A qué temperatura debemos programar la estufa para que el material quede perfectamente esterilizado?

a) 150 ºC.
b) 160 ºC.
c) 170 ºC.
d) 180 ºC.

105. Entre los inconvenientes que presenta la esterilización en autoclave, destaca el que:

a) Deteriora los materiales de plástico.
b) Contamina.
c) Deja residuos.
d) Es cara.

106. Con respecto al Autoclave es cierto que:

a) Tiene un cierre hermético como una olla a presión.
b) Tiene una cámara de esterilización con una llave y un manómetro para regular la temperatura.
c) Tiene una llave de purga para eliminar el aire que hay dentro de la cámara.
d) a, b y c son correctas.

107. El calor seco en forma de aire caliente:

a) Es de fácil control.
b) Es de penetración rápida y uniforme en los materiales.
c) Para conseguir que haga su efecto hay que exponer el material a la acción del calor durante grandes períodos de tiempo.
d) Es un medio de esterilización rápido.

108. Para poder esterilizar en el autoclave en un tiempo de 10 minutos se debe utilizar una temperatura de:

a) 121 ºC.
b) 126 ºC.
c) 134 ºC.
d) 117 ºC.

109. Indique la opción incorrecta. Las condiciones climáticas ideales para el mantenimiento del material estéril son:

a) Ventilación de 6 renovaciones en 1 hora.
b) Temperatura mínima 15 ºC.
c) Temperatura máxima 40 ºC.
d) Humedad mínima 40%.

110. El flameado es la técnica de esterilización de calor seco que utiliza:

a) Un horno de Pasteur.
b) Una estufa poupinel.
c) Un mechero tipo bunsen.
d) Un autoclave.

111. Para que el oxido de etileno actué sobre las formas de resistencia de las bacterias es necesario que exista un grado de humedad:

a) No inferior al 30 %.
b) No inferior al 20 %.
c) No inferior al 10 %.
d) Es más eficaz sin humedad ya que las esporas están muy hidratadas y la falta de humedad facilita su destrucción.

112. ¿Desde que temperatura es efectivo el óxido de etileno para esterilizar?

a) 5 ºC.
b) 10 ºC.
c) 20 ºC.
d) 30 ºC.

113. La aplicación de la Ley 22/2011, se lleva a cabo con los siguientes residuos, excepto los:

a) Radiactivos.
b) Urbanos.
c) Domésticos.
d) Procedentes de de la limpieza de vías públicas.

114. ¿Dónde incluirías a los residuos generados por la actividad propia de los servicios de restauración y bares?

a) Domésticos.
b) Comerciales.
c) Industriales.
d) Peligrosos.

115. ¿Cómo se califica al residuo peligroso con las siglas H4?

a) Inflamable.
b) Irritante.
c) Nocivo.
d) Tóxico.

116. Los residuos peligrosos cancerígenos se designan por las siglas:

a) H5.
b) H6.
c) H7.
d) H8.

117. ¿Cómo se designan a las sustancias y los preparados que pueden destruir tejidos vivos al entrar en contacto con ellos?

a) H8 corrosivo.
b) H5 nocivo.
c) H5 corrosivo.
d) H8 nocivo.

118. ¿Cómo se define los residuos peligrosos H13 sensibilizantes? Se aplica a las sustancias y a los preparados:

a) Que por inhalación, ingestión o penetración cutánea pueden producir defectos genéticos hereditarios o aumentar su frecuencia.

b) Que por inhalación o penetración cutánea, pueden ocasionar una reacción de hipersensibilización, de forma que una exposición posterior a esa sustancia o preparado dé lugar a efectos nocivos característicos.

c) Que emiten gases tóxicos o muy tóxicos al entrar en contacto con el aire, con el agua o con un ácido.

d) Que después de su eliminación, de dar lugar a otra sustancia por un medio cualquiera, por ejemplo, un lixiviado que posee alguna de las características antes enumeradas.

119. ¿Cuál de estas sustancias no entra en la categoría de biorresiduos?

a) Biodegradables de jardines y parques.

b) Alimenticios y de cocina procedente de hogares.

c) Provenientes de aceites minerales o sintéticos, industriales o de lubricación, que hayan dejado de ser aptos para su empleo originalmente previsto.

d) Alimenticios y de cocina procedente de servicios de restauración colectiva y establecimientos de venta al por menor.

Solución al test n.º 3

1. c) RD 664/1997, de 12 de mayo.

2. d) Todo lo anterior es cierto.

3. b) Vacunación frente a hepatitis B.

4. b) Accidente de riesgo biológico.

5. b) Esterilización.

6. d) Son todas las anteriores.

7. b) 3%.

8. d) Más del 50%.

9. d) Son ciertas a y b.

10. d) AZT.

11. b) Patógenos transmitidos por la sangre: un riesgo laboral.

12. a) La inoculación accidental por pinchazos.

13. a) Primer grupo.

14. b) El empresario.

15. c) Se deben reencapuchar las agujas y retirarlas de las jeringas desechables.

16. c) 572.

17. a) Guantes de varios usos (procesados por esterilización para que sean reutilizables).

18. c) El microorganismo origina una respuesta inmune aunque esta no sea detectable en el laboratorio.

19. c) El agente se beneficia del huésped, pero sin perjudicarlo.

20. b) Simbiosis.

21. a) Contagiosidad.

22. a) Patogenicidad.

23. a) Ciclo reproductivo.

24. c) Una parte del ciclo evolutivo se produce en el suelo.

25. b) Paciente con Neisseria meningitidis en un control profesional de exudado nasal.

26. a) Aquel que elimina gérmenes saprofitos.

27. b) Seres inanimados que transmiten enfermedades.

28. d) Fiebre Q.

29. a) Tétanos.

30. a) La puerta de entrada.

31. c) Aérea.

32. a) Infección nosocomial.

33. d) Neumonías.

34. d) Medicina preventiva.

35. b) Bacterias gram negativas.

36. b) Candida albicans.

37. a) Endógena.

38. c) Pseudomonas.

39. d) Lavado de manos del profesional sanitario.

40. a) Infecciones respiratorias.

41. b) Cirugía sucia o infectada.

42. b) Limpia-contaminada.

43. d) Sucias o infectadas.

44. d) Eficacia lógica.

45. b) Medidas de eficacia probada.

46. b) Empleo de nebulizadores.

47. b) Mascarillas venturi.

48. d) Todas las alternativas anteriores son falsas.

49. a) Cubriendo totalmente el cabello y dejando libres los oídos.

50. b) La bata rusa es usada en el quirófano por el personal no estéril.

51. b) Interior.

52. a) 5 minutos.

53. c) Antes, durante y después de realizar la higiene del paciente.

54. a) Eritema.

55. d) Usar cremas protectoras.

56. d) Todas son correctas.

57. c) 1 minuto.

58. d) Asepsia.

59. d) b y c son correctas.

60. d) Todas.

61. d) Todos.

62. a) Crítico, semicrítico y no crítico.

63. c) Semicrítico.

64. d) Todos.

65. a) Desinfección.

66. b) Un conjunto de técnicas para eliminar los artrópodos.

67. d) a y c son correctas.

68. a) Para la desinfección.

69. d) Todas son correctas.

70. d) Todas son correctas.

71. a) Mata los microorganismos.

72. b) Antisépticos.

73. d) Todos.

74. c) Desinfección.

75. a) Antisépticos.

76. d) Radiaciones Ultravioleta.

77. d) El Hipoclorito sódico.

78. d) Todas son correctas.

79. b) Es bactericida.

80. d) Lejía.

81. c) Inmersión.

82. d) Todas las opciones anteriores son correctas.

83. d) Es muy caro.

84. c) 68 ºC.

85. c) Vendas.

86. d) De bajo nivel.

87. a) Hexaclorofeno.

88. d) Son ciertas las respuestas a y b.

89. b) Utiliza vapor de agua a presión.

90. d) Un método físico que usa calor húmedo (vapor de agua a presión).

91. d) Bioestáticos.

92. a) Calor húmedo.

93. c) No deteriora los materiales de goma o plástico.

94. d) Todas son correctas.

95. b) 121 ºC durante 15 minutos.

96. d) Asas de siembra.

97. c) 120 minutos.

98. a) Óxido de etileno.

99. c) 40 cm.

100. b) Dióxido de carbono.

101. b) Control químico.

102. d) Esporas atenuadas.

103. d) Todas son correctas.

104. d) 180 ºC.

105. a) Deteriora los materiales de plástico.

106. d) a, b y c son correctas.

107. c) Para conseguir que haga su efecto hay que exponer el material a la acción del calor durante grandes períodos de tiempo.

108. c) 135 ºC.

109. c) Temperatura máxima 40 ºC.

110. c) Un mechero tipo bunsen.

111. a) No inferior al 30 %.

112. d) 30 ºC.

113. a) Radiactivos.

114. b) Comerciales.

115. b) Irritante.

116. c) H7.

117. a) H8 corrosivo.

118. b) Que por inhalación o penetración cutánea, pueden ocasionar una reacción de hipersensibilización, de forma que una exposición posterior a esa sustancia o preparado dé lugar a efectos nocivos característicos.

119. c) Provenientes de aceites minerales o sintéticos, industriales o de lubricación, que hayan dejado de ser aptos para su empleo originalmente previsto.

TEST N.º 4

Derechos y obligaciones en materia de información y documentación clínica: Derecho a la intimidad. El consentimiento informado. Protección de datos: datos especialmente protegidos. Datos relativos a la salud. Deber de secreto

1. ¿Cuál es la ley básica reguladora de la Autonomía del Paciente y de derechos y obligaciones en materia de información y documentación clínica?

a) La Ley 9/2002, de 4 de noviembre.
b) La Ley 39/2002, de 7 de noviembre.
c) La Ley 41/2002, de 14 de noviembre.
d) La Ley 49/2002, de 22 de noviembre.

2. Según la Ley 41/2002, de 14 de noviembre, básica reguladora de la autonomía del paciente y de derechos y obligaciones en materia de información y documentación clínica, el plazo mínimo de conservación para poder destruir los distintos documentos que forman la historia clínica, es de:

a) 1 año.
b) 2 años.
c) 5 años.
d) 10 años.

3. Al conjunto de documentos que contienen los datos, valoraciones e informaciones de cualquier índole sobre la situación y la evolución clínica de un paciente a lo largo del proceso asistencial, se le denomina:

a) Dosier médico.
b) Informe clínico.
c) Historia clínica.
d) Archivo sanitario.

4. Transcurridos cinco años podrán destruirse, cuando no sean trascendentales por motivos asistenciales, de salud pública, epidemiológicos, de investigación, judiciales o por razones de organización y funcionamiento del Sistema Nacional de Salud:

a) El informe de urgencia.
b) El gráfico de constantes.
c) Las hojas de órdenes médicas.
d) Todas las respuestas son correctas.

5. ¿Cuál de los siguientes documentos se conservará de forma indefinida?

a) El informe de anestesia.
b) La solicitud y autorización de ingreso.
c) La iconografía, los resultados analíticos y los registros electrofisiológicos.
d) La hoja de evolución y planificación de cuidados de enfermería.

6. Señale la respuesta incorrecta:

a) La Administración de la Comunidad de Castilla y León dispondrá las medidas necesarias para garantizar el derecho a utilizar los procedimientos de reclamación y sugerencia, así como a recibir respuesta razonada en plazo y por escrito, conforme a lo previsto en la normativa vigente.

b) Todos los centros, servicios y establecimientos sometidos a la Ley 8/2003 deberán disponer de una guía de información al usuario.

c) En la presentación de quejas y sugerencias en relación con el funcionamiento de los servicios de atención a la salud en el ámbito del Sistema de Salud de Castilla y León será obligatoria la identificación del usuario.

d) Como regla general, la información se proporcionará verbalmente, dejando constancia en la historia clínica, siendo obligado entregarla en forma escrita en los supuestos exigidos por la normativa aplicable.

7. ¿Qué Decreto regula la Historia Clínica en Castilla y León?

a) El Decreto 21/2003, de 9 de enero.
b) El Decreto 44/2003, de 20 de febrero.
c) El Decreto 96/2004, de 20 de diciembre.
d) El Decreto 101/2005, de 22 de diciembre.

8. Cada una de las demandas de asistencia sanitaria de un paciente que genera actuaciones clínicas se denomina:

a) Solicitud.
b) Contacto.
c) Dato.
d) Documento.

9. Se entiende por documento, a tenor del decreto 101/2005, de 22 de diciembre, el modelo normalizado donde se registran los datos, y puede ser de dos clases:

a) Simple o complejo.
b) Activo o pasivo.
c) Personal o impersonal.
d) Primario o secundario.

10. Como regla general, se preservará el anonimato, salvo que el paciente haya consentido expresamente lo contrario, cuando se utilice la historia clínica con fines:

a) De investigación o de docencia.
b) Epidemiológicos.
c) De salud pública.
d) Todas las respuestas son correctas.

11. Cuando las historias clínicas consten en soporte papel, podrán existir dentro del archivo único un archivo activo y un archivo pasivo. En el primero se reunirá la documentación clínica activa y en el segundo la pasiva. Se considera documentación pasiva:

a) La de los pacientes que han fallecido.
b) La de los pacientes que no han tenido actividad asistencial en cuatro años.
c) La de los pacientes que no han tenido actividad asistencial en cinco años, salvo en atención especializada, en cuyo caso bastará que hayan transcurrido como mínimo dos años sin actividad asistencial.
d) Todas las respuestas son incorrectas.

12. La documentación clínica deberá conservarse como mínimo:

a) Quince años contados desde la fecha del alta de cada proceso asistencial o desde el fallecimiento del paciente.
b) Diez años contados desde la fecha del alta de cada proceso asistencial o desde el fallecimiento del paciente.
c) Cinco años contados desde la fecha del alta de cada proceso asistencial o desde el fallecimiento del paciente.
d) Tres años contados desde la fecha del alta de cada proceso asistencial o desde el fallecimiento del paciente.

13. ¿Cuándo podrán destruirse las hojas de anamnesis y de exploración física y las de evolución correspondientes a los episodios asistenciales sobre los que exista informe de alta?

a) Nunca.
b) Al año.

c) A partir de los cinco años.
d) A partir de los diez años.

14. ¿Cuál de los siguientes documentos se conservará de forma indefinida?

a) El consentimiento informado.
b) El informe clínico de alta.
c) Los informes de exploraciones complementarias.
d) Todas las respuestas son correctas.

15. Señale la respuesta incorrecta respecto al régimen jurídico del consentimiento informado:

a) Desde la Ley General de Sanidad se establece claramente que no es el facultativo quien determina por su cuenta el tratamiento a aplicar a un usuario, sino que es éste quien lo elige de entre las distintas alternativas que le debe presentar el facultativo.

b) Para que el usuario pueda prestar válidamente su consentimiento y que el facultativo realice una determinada opción, debe tener un conocimiento básico que le permita autodeterminarse.

c) La prestación del consentimiento informado es un deber del paciente y su obtención un derecho del médico.

d) La información general y de riesgos que el facultativo debe proporcionar al paciente debe ser adecuada, sin sobrecargarlo con informaciones que le produzcan angustia y lleguen a impedirle ejercer su derecho de autodeterminación de opciones.

16. La Ley 41/2002, de 14 de noviembre, básica, reguladora de la autonomía del paciente y de derechos y obligaciones en materia de información y documentación clínica, considera el consentimiento informado como:

a) Un valor moral.
b) Un principio ético universal.
c) Un bien jurídico.
d) Un principio básico de la Ley.

17. Como regla general el consentimiento informado será:

a) Escrito.
b) Verbal.
c) Verbal en casos de intervención quirúrgica.
d) Verbal en los procedimientos diagnósticos y terapéuticos invasores.

18. ¿Cuándo puede el paciente revocar libremente por escrito su consentimiento?

a) En cualquier momento.
b) Nunca.

c) Sólo en casos de enfermedades graves.

d) En cualquier momento siempre y cuando no hayan transcurrido más de 48 horas desde que se otorgó.

19. ¿En qué supuesto se puede otorgar el consentimiento por representación?

a) Cuando el paciente esté incapacitado legalmente.

b) Cuando el paciente menor de edad no sea capaz intelectual ni emocionalmente de comprender el alcance de la intervención.

c) Cuando el paciente no sea capaz de tomar decisiones, a criterio del médico responsable de la asistencia, o su estado físico o psíquico no le permita hacerse cargo de su situación.

d) Todas las respuestas son correctas.

20. Para asegurar la eficacia de las instrucciones previas la Ley prevé la creación de un Registro de instrucciones previas de ámbito:

a) Nacional.

b) Autonómico.

c) Local.

d) Europeo.

21. ¿Dónde y cuándo se dictó el Convenio Internacional para la protección de los derechos humanos y la dignidad del ser humano con respecto de las aplicaciones de la biología y la medicina?

a) En Salamanca el 4-4-97.

b) En Oviedo el 4-4-97.

c) En Sevilla el 5-3-98.

d) En Barcelona el 6-6-99.

22. ¿En qué fecha fue ratificado por España el Convenio Internacional para la protección de los derechos humanos y la dignidad del ser humano con respecto de las aplicaciones de la biología y la medicina, conocido como Convenio de Asturias?

a) El 4 de abril de 1997.

b) El 1 de septiembre de 1999.

c) El 1 de enero de 2000.

d) El 31 de enero de 2000.

23. Cuando, según la Ley, una persona mayor de edad no tenga capacidad, a causa de una disfunción mental, una enfermedad o un motivo similar para expresar su consentimiento para una intervención, ésta no podrá efectuarse sin la autorización de:

a) Su representante.

b) Una autoridad.

c) Una persona a institución designada por la ley.
d) Todas las respuestas son correctas.

24. El Documento de Consentimiento Informado se compone de tres partes:

a) Preámbulo, cuerpo y final.
b) Prólogo. Cuerpo y disposiciones.
c) Preámbulo, cuerpo y aceptación.
d) Inicio, parte dispositiva y anexos.

25. ¿En qué parte del Documento de Consentimiento Informado figuran el nombre o nombres de las personas que son informadas y deben consentir, así como el del facultativo responsable, los testigos y representantes, en su caso?

a) En el preámbulo.
b) En el cuerpo.
c) En la parte dispositiva.
d) En la aceptación.

26. La Ley de autonomía del paciente reconoce al paciente o usuario no sólo el derecho a decidir libremente entre las opciones clínicas disponibles, una vez que ha recibido la información adecuada, sino también el derecho a no elegir ninguna. En caso de no aceptar el tratamiento prescrito se propondrá al paciente o usuario que firme el alta voluntaria, y si no la firma:

a) El médico responsable puede disponer el alta forzosa en las condiciones reguladas por la Ley.
b) La Dirección del centro sanitario, a propuesta del médico responsable, puede disponer el alta forzosa en las condiciones reguladas por la Ley.
c) El Ministerio Fiscal a propuesta del médico responsable, puede disponer el alta forzosa en las condiciones reguladas por la Ley.
d) Ninguna respuesta es correcta.

27. Señale cuál de los siguientes no es uno de los tres elementos básicos del secreto profesional:

a) La permanencia de la obligación.
b) La intrascendencia del tipo de actuación profesional.
c) La temporalidad del secreto legalmente emitido
d) El contenido de la información captada.

28. ¿Qué artículo de la Constitución, en su inciso final, precisa que la ley regulará los casos en que, por razón de parentesco o de secreto profesional, no se estará obligado a declarar sobre hechos presuntamente delictivos?

a) El artículo 14.2.
b) El artículo 24.2.

c) El artículo 25.
d) El artículo 31.3.

29. El titular de derecho a la información asistencial de forma general es:

a) El paciente.
b) Familiares del paciente.
c) Amigos del paciente.
d) Los diplomados en Enfermería.

30. El titular del derecho a la información es:

a) El paciente.
b) Pareja de hecho.
c) Familiares.
d) Parentescos.

31. En que artículo de la Ley 41/2002, de 14 de noviembre, básica reguladora de la autonomía del paciente, viene recogido el derecho a la información epidemiológica:

a) Art.1.
b) Art. 3.
c) Art. 4.
d) Art. 6.

32. En virtud de qué principio previsto por el Reglamento General de Protección de Datos, los datos personales serán adecuados, pertinentes y limitados a lo necesario en relación con los fines para los que son tratados:

a) Principio de exactitud.
b) Principio de limitación de la finalidad.
c) Principio de responsabilidad proactiva.
d) Principio de minimización de datos.

33. Según el artículo 5 del *Reglamento (UE) 2016/679, de 27 de abril, relativo a la protección de las personas físicas en lo que respecta al tratamiento de datos personales y a la libre circulación de estos datos*, los datos personales serán tratados, en relación con el interesado, de manera lícita, leal y:

a) Fiable.
b) Segura.
c) Confidencial.
d) Transparente.

34. Según el *Reglamento (UE) 2016/679, de 27 de abril, relativo a la protección de las personas físicas en lo que respecta al tratamiento de datos personales y a la libre circulación de estos datos*, para poder considerar que el consentimiento del interesado para el tratamiento de sus datos personales es inequívoco:

a) Se requerirá declaración jurada del interesado donde manifieste su conformidad.
b) Se precisa contrato de cesión de datos personales.
c) Deberá existir una declaración del interesado o una acción positiva que manifieste su conformidad.
d) Bastará con el consentimiento por silencio, casillas ya marcadas o inacción.

35. Conforme al RGPD, el interesado tendrá derecho a obtener del responsable del tratamiento la limitación del tratamiento de los datos cuando el responsable ya no necesite los datos personales para los fines del tratamiento, pero el interesado los necesite para:

a) La formulación, el ejercicio o la defensa de reclamaciones.
b) Verificar la exactitud de los mismos
c) Incorporarlos a sus archivos personales.
d) Proceder él mismo a su destrucción.

36. El derecho a la portabilidad de los datos:

a) Se podrá aplicar a los tratamientos que sean necesario para el cumplimiento de una misión realizada en interés público o en el ejercicio de poderes públicos conferidos al responsable del tratamiento.
b) A diferencia de otros derechos, podrá afectar negativamente a los derechos y libertades de otros.
c) Supone la obligación de que, en todo caso, los datos personales se transmitan directamente de responsable a responsable.
d) Requiere que el tratamiento se efectúe por medios automatizados.

37. Conforme al RGPD ¿puede facilitarse la información al interesado de forma verbal?

a) No, en ningún caso.
b) Sí, siempre que lo solicite el interesado.
c) Sí, en cualquier caso siempre que se demuestre la identidad del interesado por otros medios.
d) Sí, cuando lo solicite el interesado y se pueda demostrar su identidad por otros medios.

38. Conforme al artículo 16 del RGPD, teniendo en cuenta los fines del tratamiento, el interesado tendrá derecho a que se completen los datos personales que sean incompletos, inclusive mediante:

a) Levantamiento de acta.
b) Certificación de modificación.

c) Una declaración adicional.
d) Elaboración de anexos.

39. Conforme al artículo 17 del RGPD, el derecho de supresión no se podrá aplicar cuando:

a) Los datos personales ya no sean necesarios en relación con los fines para los que fueron recogidos o tratados de otro modo.
b) Los datos personales se hayan obtenido en relación con la oferta de servicios de la sociedad de la información.
c) Los datos personales hayan sido tratados ilícitamente.
d) Los datos personales sean necesarios para ejercer el derecho a la libertad de expresión e información.

40. Conforme al artículo 9 de la *LO 3/2018, de 5 de diciembre, de Protección de Datos Personales y garantía de los derechos digitales*, cuál de los siguientes tratamientos de datos fundados en el Derecho español deberá estar amparado en una norma con rango de ley:

a) Tratamiento necesario con fines de archivo en interés público, fines de investigación científica o histórica.
b) Tratamiento efectuado, en el ámbito de sus actividades legítimas y con las debidas garantías, por una fundación, una asociación o cualquier otro organismo sin ánimo de lucro, cuya finalidad sea política, filosófica, religiosa o sindical, siempre que el tratamiento se refiera exclusivamente a los miembros actuales o antiguos de tales organismos o a personas que mantengan contactos regulares con ellos en relación con sus fines y siempre que los datos personales no se comuniquen fuera de ellos sin el consentimiento de los interesados
c) Tratamiento necesario para fines de medicina preventiva o laboral, evaluación de la capacidad laboral del trabajador, diagnóstico médico, prestación de asistencia o tratamiento de tipo sanitario o social, o gestión de los sistemas y servicios de asistencia sanitaria y social.
d) Tratamiento referido a datos personales que el interesado ha hecho manifiestamente públicos.

41. Los datos personales serán tratados de tal manera que se garantice una seguridad adecuada de los mismos, incluida la protección contra el tratamiento no autorizado o ilícito y contra su pérdida, destrucción o daño accidental, mediante la aplicación de medidas técnicas u organizativas apropiadas; todo ello en virtud del principio de:

a) Responsabilidad proactiva.
b) Integridad y confidencialidad.
c) Limitación de la finalidad.
d) Licitud, lealtad y transparencia.

42. Conforme al principio de limitación de la finalidad, los datos personales serán recogidos con fines determinados, explícitos y:

a) Limitados.
b) Transparentes.
c) Compatibles.
d) Legítimos.

43. El RGPD describe este principio como la necesidad de que el responsable del tratamiento aplique medidas técnicas y organizativas apropiadas a fin de garantizar y poder demostrar que el tratamiento es conforme con el Reglamento:

a) Principio de exactitud.
b) Principio de integridad y confidencialidad.
c) Principio de licitud, lealtad y transparencia.
d) Principio de responsabilidad proactiva.

44. En referencia al derecho de oposición, el artículo 21 del RGPD señala que:

a) Cuando el tratamiento de datos personales tenga por objeto la mercadotecnia directa, el interesado tendrá derecho a oponerse en todo momento al tratamiento de los datos personales que le conciernan.

b) A más tardar en el momento de la segunda comunicación con el interesado, el derecho de oposición será mencionado explícitamente al interesado y será presentado claramente y al margen de cualquier otra información.

c) Aun cuando el tratamiento de datos personales tenga por objeto la mercadotecnia directa, el interesado no podrá oponerse a la elaboración de perfiles relacionada con la citada mercadotecnia.

d) Los motivos legítimos para el tratamiento por parte del responsable del tratamiento no pueden prevalecer sobre los intereses, derechos y libertades del interesado.

45. Conforme al artículo 18 del RGPD, el interesado tendrá derecho a obtener del responsable del tratamiento la limitación del tratamiento de los datos:

a) Cuando los datos personales ya no sean necesarios en relación con los fines para los que fueron recogidos o tratados de otro modo.

b) Para que el interesado pueda ejercer el derecho a la libertad de expresión e información.

c) Cuando el interesado impugne la exactitud de los datos personales, durante un plazo que permita al responsable verificar la exactitud de los mismos.

d) Por razones de interés público en el ámbito de la salud pública.

46. Según el artículo l7 del RGPC, el interesado tendrá derecho a obtener sin dilación indebida del responsable del tratamiento la supresión de los datos personales que le conciernan, el cual estará obligado a suprimir sin dilación indebida los datos personales cuando concurra alguna de las circunstancias siguientes:

a) Los datos personales siguen siendo necesarios en relación con los fines para los que fueron recogidos y tratados del mismo modo.

b) El interesado retire el consentimiento en que se basa el tratamiento, y este se basa en otro fundamento jurídico.

c) El interesado se opone al tratamiento de datos personales que tiene por objeto la mercadotecnia directa.

d) Los datos personales no han sido obtenidos en relación con la oferta de servicios de la sociedad de la información.

Solución al test n.º 4

1. c) La ley 41/2002, de 14 de noviembre.

2. c) 5 años.

3. c) Historia clínica.

4. d) Todas las respuestas son correctas.

5. a) El informe de anestesia.

6. c) En la presentación de quejas y sugerencias en relación con el funcionamiento de los servicios de atención a la salud en el ámbito del Sistema de Salud de Castilla y León será obligatoria la identificación del usuario.

7. d) El Decreto 101/2005, de 22 de diciembre.

8. b) Contacto.

9. b) Activo o pasivo.

10. d) Todas las respuestas son correctas.

11. a) La de los pacientes que han fallecido.

12. c) Cinco años contados desde la fecha del alta de cada proceso asistencial o desde el fallecimiento del paciente.

13. c) A partir de los cinco años.

14. d) Todas las respuestas son correctas.

15. c) La prestación del consentimiento informado es un deber del paciente y su obtención un derecho del médico.

16. d) Un principio básico de la Ley.

17. b) Verbal.

18. a) En cualquier momento.

19. d) Todas las respuestas son correctas.

20. a) Nacional.

21. b) En Oviedo el 4-4-97.

22. b) El 1 de septiembre de 1999.

23. d) Todas las respuestas son correctas.

24. c) Preámbulo, cuerpo y aceptación.

25. a) En el preámbulo.

26. b) La Dirección del centro sanitario, a propuesta del médico responsable, puede disponer el alta forzosa en las condiciones reguladas por la Ley.

27. c) La temporalidad del secreto legalmente emitido.

28. b) El artículo 24.2.

29. a) El paciente.

30. a) El paciente.

31. d) Art. 6.

32. d) Principio de minimización de datos.

33. d) Transparente.

34. c) Deberá existir una declaración del interesado o una acción positiva que manifieste su conformidad.

35. a) La formulación, el ejercicio o la defensa de reclamaciones.

36. d) Requiere que el tratamiento se efectúe por medios automatizados.

37. d) Sí, cuando lo solicite el interesado y se pueda demostrar su identidad por otros medios.

38. c) Una declaración adicional.

39. d) Los datos personales sean necesarios para ejercer el derecho a la libertad de expresión e información.

40. c) Tratamiento necesario para fines de medicina preventiva o laboral, evaluación de la capacidad laboral del trabajador, diagnóstico médico, prestación de asistencia o tratamiento de tipo sanitario o social, o gestión de los sistemas y servicios de asistencia sanitaria y social.

41. b) Integridad y confidencialidad.

42. d) Legítimos.

43. d) Principio de responsabilidad proactiva.

44. a) Cuando el tratamiento de datos personales tenga por objeto la mercadotecnia directa, el interesado tendrá derecho a oponerse en todo momento al tratamiento de los datos personales que le conciernan.

45. c) Cuando el interesado impugne la exactitud de los datos personales, durante un plazo que permita al responsable verificar la exactitud de los mismos.

d) Por razones de interés público en el ámbito de la salud pública.

46. c) El interesado se opone al tratamiento de datos personales que tiene por objeto la mercadotecnia directa.

TEST N.º 5

Actividades del Auxiliar de Enfermería en centros para personas mayores. Coordinación entre niveles

1. Una de las siguientes opciones con respecto a las funciones del Auxiliar de Enfermería, no es correcta:

a) Es función del Auxiliar de Enfermería la recogida y limpieza del instrumental quirúrgico.
b) Es función del Auxiliar de Enfermería colaborar con el Auxiliar de Farmacia en la ordenación de los preparados y efectos sanitarios.
c) Es función del Auxiliar de enfermería la aplicación de tratamientos curativos de carácter no medicamentoso.
d) Es función del Auxiliar de Enfermería la preparación de ropas, vendas, apósitos, y material de curas.

2. Las funciones de los Auxiliares de Enfermería en la unidad de rehabilitación serán:

a) El aseo y la limpieza de los pacientes.
b) Controlar las posturas estáticas de los enfermos.
c) La limpieza y ordenación de la materia utilizada en la unidad.
d) Todas son correctas.

3. Queda prohibido realizar a los Auxiliares de Enfermería:

a) Administración de medicamentos por vía parenteral.
b) La recepción de volantes y documentos para la asistencia de los enfermos.
c) La recepción de los carros de comida y la distribución de la misma.
d) Vestir y desvestir a las embarazadas.

4. Señale la opción incorrecta:

a) La atención en el cuidado de los ancianos ha de basarse en la concepción integral del individuo anciano.
b) La atención a los ancianos debe atender principalmente sus aspectos físicos.

c) El anciano tiene derecho a salvaguardar su autonomía en cualquier situación.

d) El anciano tiene derecho a participar en las decisiones que le afecten para poder mantener y mejorar su calidad de vida.

5. Dentro de las diferentes funciones del equipo multidisciplinar de geriatría, es función administrativa:

a) La propuesta de los equipamientos.
b) El control de la calidad.
c) La propuesta de los medicamentos.
d) Todas son correctas.

6. La atención al anciano del equipo multidisciplinar de geriatría debe ser:

a) Integral.
b) Proyectada a la comunidad.
c) Preventiva.
d) Todas son correctas.

7. La importancia de la coordinación entre los niveles asistenciales que conforman un sistema de salud emana:

a) De la Ley 14/1986, de 25 de abril, General de Sanidad.

b) De la Constitución española que, en sus artículos 43 y 49, recoge el derecho de todos los ciudadanos a la protección a la salud.

c) La Ley 55/2003, de 16 de diciembre, del Estatuto Marco del personal estatutario de los servicios de salud.

d) La Ley 31/1995, de 8 de noviembre, de Prevención de Riesgos Laborales.

8. La edad que está determinada en función del tiempo transcurrido desde el nacimiento, y que se refiere al tiempo de vida de las personas y es lo que se considera de forma legal en nuestra sociedad se denomina:

a) Cronológica.
b) Biológica.
c) Fisiológica.
d) Funcional.

9. ¿Cuál podemos aseverar que es el objetivo prioritario de la asistencia geriátrica?

a) Es facilitar acogida a todos los ancianos en resistencias de asistidos.

b) Es el conseguir que el anciano permanezca, o se reintegre, a su domicilio habitual en suficientes condiciones de bienestar y seguridad.

c) Disminuir las enfermedades propias de los ancianos.

d) Todas son correctas.

10. De las siguientes definiciones, ¿cuál se adapta más al concepto de anciano frágil?

a) Aquel sujeto, generalmente mayor de 65 años, con alteraciones funcionales, al límite entre lo "normal" y "patológico", en equilibrio inestable y con adaptación de los trabajos funcionales a sus posibilidades reales de rendimiento.

b) Es el anciano que sufre problemas mentales y/o sociales en relación con su estado de salud y que requiere institucionalización.

c) Es una persona, generalmente de edad superior a los 75 años, que sufre una o varias enfermedades que le producen algún riesgo de incapacidad, o una cierta incapacidad leve, que sigue tratamiento farmacológico (uno o varios medicamentos), que vive en la comunidad, generalmente solo o en compañía de otra persona mayor, que ha sufrido un cambio reciente de domicilio, o que ha estado hospitalizado en los últimos doce meses, que precisa atención profesional domiciliaria y cuyos recursos socioeconómicos son limitados.

d) Los ancianos con trastorno mental grave (TMG).

11. Se llama «valoración en geriatría» a:

a) El proceso mediante el cual se diagnostican de manera ordenada y sistemática los problemas relativos al anciano.

b) El proceso mediante el cual se obtienen datos que guardan relación con el anciano.

c) El proceso mediante el cual se recogen y analizan datos, de forma ordenada y sistemática, relativos al anciano.

d) Una técnica de valoración de necesidades y recursos relacionados con los problemas de salud del anciano.

12. ¿Cuál de los que se citan no es un valor de la salud física?

a) Anamnesis.
b) Plan de cuidados.
c) Exploración.
d) Estado afectivo.

13. Se denomina capacidad funcional en el anciano:

a) El grado de autonomía.
b) El nivel de independencia.
c) La aptitud para realizar una vida autónoma.
d) Todas son correctas.

14. Se llaman «actividades básicas de la vida de diario» a:

a) Las actividades necesarias para el autocuidado.
b) Las actividades necesarias para la vida en comunidad.
c) Las actividades necesarias para desarrollar un rol en la comunidad.
d) Todas son correctas.

15. Cuando se habla de AVD-I, se está refiriendo a:

a) Actividades independientes de la vida diaria.
b) Actividades importantes de la vida diaria.
c) Actividades instrumentales de la vida diaria.
d) Actividades indeseables de la vida diaria.

16. Cuál de las que se citan es una AVD-B:

a) Comer.
b) Preparar la comida.
c) Realizar la compra.
d) Manejar los asuntos económicos.

17. ¿Qué tipo de valoración es considerada por la OMS como la mejor forma de medir la salud de los mayores, ya que función y enfermedad van a estar relacionadas?

a) Valoración funcional.
b) Valoración clínica.
c) Valoración crítica.
d) Valoración por aparatos y sistemas.

18. De las siguientes actividades que podemos realizar las personas, ¿cuál es considerada como una actividad básica de la vida diaria?

a) Cocinar.
b) Realizar la compra.
c) Utilizar el teléfono.
d) Vestirse.

19. Incluimos a un anciano en una valoración de las actividades de la vida diaria, para ello hemos utilizando el denominado Índice de Barthel obteniendo un resultado de 18; ¿cuál sería la interpretación correcta?

a) Dependencia leve.
b) Dependencia moderada.
c) Independencia.
d) Dependencia grave.

20. ¿Cuál de los siguientes instrumentos de valoración está diseñado para valorar las actividades instrumentales de la vida diaria?

a) Escala de la Incapacidad Física de la Cruz Roja.
b) Índice de Katz.
c) Índice de Lawton.
d) Escala de Tinetti.

21. El instrumento más utilizado en Valoración Geriátrica Integral para valorar la movilidad de un individuo a través de la marcha y el equilibrio es:

a) Escala de la Incapacidad Física de la Cruz Roja.
b) Escala OARS.
c) Índice de Lawton y Brody.
d) Escala de Tinetti.

22. ¿Cuál de las que se mencionan es una escala para valorar capacidad mental?

a) Escala de Recursos Sociales.
b) Escala de Moral.
c) Índice de Katz.
d) Mini Examen Cognoscitivo.

23. Con respecto a las modificaciones funcionales cardiovasculares que aparecen en el anciano sano, ¿cuál de las siguientes modificaciones no es correcta?

a) Disminución de la fuerza de contracción miocárdica.
b) Disminución del gasto cardiaco.
c) Alargamiento de la duración de la sístole y la diástole.
d) Modificación de la tensión arterial

24. Con respecto a las modificaciones de la piel que aparecen en el anciano sano, ¿cuál de las siguientes modificaciones no es correcta?

a) Atrofia de las glándulas sebáceas.
b) El colágeno se hace más rígido.
c) Aumento de grasa subcutánea.
d) Piel seca y frágil.

25. Con respecto a las modificaciones de la boca y dentadura que aparecen en el anciano sano, ¿cuál de las siguientes modificaciones no es correcta?

a) Aumento de la producción de saliva.
b) Desgaste del esmalte y la dentina.
c) Aumento del cemento.
d) Atrofia gingival.

26. Tomando como referencia las modificaciones fisiológicas del anciano y más concretamente las alteraciones funcionales respiratorias, indique la opción cierta:

a) Una disminución de la frecuencia respiratoria.
b) Un aumento de la capacidad vital.
c) Aumento del volumen residual.
d) Disminución del volumen respiratorio.

27. ¿Cuál de los siguientes factores provocan la reducción de la estatura en los ancianos sanos?

a) Compresión de los discos y cuerpos vertebrales.
b) Cifosis dorsal con flexión de las extremidades superiores.
c) Aumento de la rigidez del hueso.
d) En los ancianos sanos no hay una reducción de la estatura.

28. Señale la opción incorrecta. Las modificaciones de las arterias en el anciano:

a) Aparece una dilatación arterial.
b) Se produce un acortamiento de las arterias.
c) Su recorrido se hace tortuoso.
d) Experimentan una gran rigidez.

29. Entre las modificaciones urinarias que se producen en el anciano destaca:

a) La vejiga se vuelve hipertónica.
b) Hay un aumento del flujo plasmático.
c) El riñón experimenta una pérdida de volumen.
d) Existe un aumento del filtrado glomerular.

30. Entre las modificaciones digestivas que se producen en el anciano no se encuentra:

a) Dilatación del esófago.
b) Hipotonía del estómago.
c) El intestino grueso sufre hipertonía, por lo que el control del mismo se vuelve insuficiente.
d) Disminuye la digestión y la absorción de grasas.

31. Las patologías que predisponen a las caídas incluyen:

a) Hipotensión.
b) Trastornos visuales.
c) Enfermedad de Parkinson.
d) Todas las respuestas anteriores son correctas.

32. La medicación más proclive a producir caídas, incluye:

a) Estatinas.
b) AINEs.
c) Benzodiacepinas.
d) Antileucotrienos.

33. Entre los cuidados de las personas mayores destaca:

a) Cuidados de los pies.
b) Cuidados de la boca.

c) Cuidados de la piel.
d) Todas son correctas.

34. Se debe informar a los ancianos que tienen que realizarse una revisión de la boca por un especialista cada:

a) Mes.
b) 2 meses.
c) 6 meses.
d) Año.

35. ¿Qué alimentos previenen la sequedad de la boca?

a) Alimentos lácteos.
b) Hidratos de carbono.
c) Proteínas.
d) Sopas.

36. ¿Cuál de los siguientes síntomas es característico en las afecciones bucales?

a) Mal aliento.
b) Saliva pegajosa.
c) Intolerancia al frío y al calor.
d) Todas son correctas.

37. Se recomienda cepillar el pelo del anciano para favorecer la circulación:

a) 2 veces al día.
b) 1 vez al día.
c) 3 veces al día.
d) 4 veces al día.

38. Entre los cuidados del pelo en los ancianos no se incluye:

a) Cepillar el pelo dos veces al día.
b) Lavar el pelo una vez a la semana.
c) Cortar el pelo una vez al mes.
d) Si utiliza laca usarla en aerosol.

39. ¿Cada cuánto tiempo se recomienda realizar la manicura a un anciano?

a) Una vez al día.
b) Una vez a la semana.
c) Una vez al mes.
d) Cada 6 meses.

40. El baño de limpieza constituye un medio para favorecer:

a) La eliminación de las toxinas.
b) La vitalidad de los tejidos.
c) El desengrase de la piel.
d) Todas son correctas.

41. Indicar, de entre las siguientes opciones, cuál no es verdadera, con respecto al cuidado de los pies del anciano:

a) Cortar las uñas en línea recta.
b) Dar masajes en dedos y plantas para favorecer la circulación.
c) Una vez al mes dar baños de agua caliente realizando ejercicios de movilidad.
d) Examinar los pies a diario prestando atención a enrojecimientos, heridas, callos, durezas, etc.

42. En los ancianos se recomienda aumentar la ingesta de:

a) Cereales.
b) Grasas saturadas.
c) Hidratos de carbonos simples.
d) Carnes muy grasas.

43. Para prevenir la osteoporosis se recomienda aumentar la ingesta de calcio hasta:

a) 500 mg al día.
b) 100 mg al día.
c) 1.000 mg al día.
d) 1.500 mg al día.

44. Entre los minerales, ¿cuál es el que presenta un déficit mayor en el anciano?

a) Hierro.
b) Sodio.
c) Calcio.
d) Magnesio.

45. Entre los factores que afectan al estado nutricional del anciano destaca:

a) Factores socioeconómicos y culturales.
b) Defectos bucales.
c) Factores fisiológicos.
d) Todas son correctas.

46. ¿Qué cantidad de magnesio al día se recomienda para las personas mayores?

a) 100 - 200 mg/día.
b) 200 - 300 mg/día.
c) 300 - 400 mg/día.
d) 400 - 500 mg/día.

47. De las siguientes dietas, ¿cuál no se recomienda para el anciano?

a) Aumentar la ingesta de proteínas de alto valor biológico.
b) Disminuir el consumo de sal.
c) Disminuir la fibra para evitar el estreñimiento.
d) Aumentar la ingesta de vitamina D.

48. ¿Qué ley regula las modalidades de asistencia sanitaria en España?

a) Ley 14/1986, de 25 de abril, General de Sanidad.
b) La Ley 16/2010, de 20 de diciembre, de Servicios Sociales.
c) Ley 41/2002, de 14 de noviembre, básica reguladora de la autonomía del paciente.
d) Ley 8/2003, de 8 de abril, sobre derechos y deberes de las personas en relación con la salud.

49. En el área de la Atención Primaria se ofrecen las siguientes prestaciones, excepto:

a) Atención a la mujer.
b) Atención a la infancia.
c) Salud mental.
d) Atención de urgencia.

50. Forma parte de las prestaciones de la Atención Especializada:

a) Hospitalización a domicilio.
b) Atención paliativa.
c) Rehabilitación.
d) Todas son correctas.

51. ¿Cuál es el mecanismo de coordinación más comúnmente empleado en un centro sanitario?

a) Mecanismos de ajuste mutuo.
b) Mecanismos de supervisión directa.
c) Estandarización de procesos o de habilidades.
d) Todas puede ser mecanismos de coordinación.

Solución al test n.º 5

1. c) Es función del Auxiliar de enfermería la aplicación de tratamientos curativos de carácter no medicamentoso.

2. d) Todas son correctas.

3. a) Administración de medicamentos por vía parenteral.

4. b) La atención a los ancianos debe atender principalmente sus aspectos físicos.

5. d) Todas son correctas.

6. d) Todas son correctas.

7. b) De la Constitución española que, en sus artículos 43 y 49, recoge el derecho de todos los ciudadanos a la protección a la salud.

8. a) Cronológica.

9. b) Es el conseguir que el anciano permanezca, o se reintegre, a su domicilio habitual en suficientes condiciones de bienestar y seguridad.

10. c) Es una persona, generalmente de edad superior a los 75 años, que sufre una o varias enfermedades que le producen algún riesgo de incapacidad, o una cierta incapacidad leve, que sigue tratamiento farmacológico (uno o varios medicamentos), que vive en la comunidad, generalmente solo o en compañía de otra persona mayor, que ha sufrido un cambio reciente de domicilio, o que ha estado hospitalizado en los últimos doce meses, que precisa atención profesional domiciliaria y cuyos recursos socioeconómicos son limitados.

11. c) El proceso mediante el cual se recogen y analizan datos, de forma ordenada y sistemática, relativos al anciano.

12. d) Estado afectivo.

13. d) Todas son correctas.

14. a) Las actividades necesarias para el autocuidado.

15. c) Actividades instrumentales de la vida diaria.

16. a) Comer.

17. a) Valoración funcional.

18. d) Vestirse.

19. d) Dependencia grave.

20. c) Índice de Lawton.

21. d) Escala de Tinetti.

22. d) Mini Examen Cognoscitivo.

23. b) Disminución del gasto cardiaco.

24. c) Aumento de grasa subcutánea.

25. a) Aumento de la producción de saliva.

26. d) Disminución del volumen respiratorio.

27. a) Compresión de los discos y cuerpos vertebrales.

28. b) Se produce un acortamiento de las arterias.

29. c) El riñón experimenta una pérdida de volumen.

30. c) El intestino grueso sufre hipertonía, por lo que el control del mismo se vuelve insuficiente.

31. d) Todas las respuestas anteriores son correctas.

32. c) Benzodiacepinas.

33. d) Todas son correctas.

34. c) 6 meses.

35. d) Sopas.

36. d) Todas son correctas.

37. a) 2 veces al día.

38. d) Si utiliza laca usarla en aerosol.

39. b) Una vez a la semana.

40. d) Todas son correctas.

41. c) Una vez al mes dar baños de agua caliente realizando ejercicios de movilidad.

42. a) Cereales.

43. d) 1.500 mg al día.

44. c) Calcio.

45. d) Todas son correctas.

46. c) 300 - 400 mg/día.

47. c) Disminuir la fibra para evitar el estreñimiento.

48. a) Ley 14/1986, de 25 de abril, General de Sanidad.

49. c) Salud mental.

50. d) Todas son correctas.

51. d) Todas puede ser mecanismos de coordinación.

TEST N.º 6

Necesidades de higiene: Concepto. Higiene general y parcial: De la piel y capilar. Técnica de higiene del residente dependiente: Total y parcial. Técnica de baño asistido

1. Las principales funciones del sistema tegumentario son todas las siguientes, excepto:

a) Protección.
b) Regulación.
c) Excreción.
d) Sostén.

2. Dentro de las estructuras que se conocen como faneras, no se encuentran:

a) Glándulas sudoríparas.
b) Glándulas salivares.
c) Glándulas sebáceas.
d) Pelos.

3. Una lesión elevada de la epidermis que contiene un líquido transparente o de diámetro inferior a 0,5 cm se conoce como:

a) Vesícula.
b) Mácula.
c) Pápula.
d) Nódulo.

4. El desprendimiento de la epidermis en forma de láminas de células queratinizadas, da lugar a la formación de:

a) Costras.
b) Escamas.
c) Pústulas.
d) Escoriaciones.

5. Una elevación de la epidermis, de pared delgada, que contiene en su interior una colección de líquido purulento, se conoce como:

a) Vesícula.
b) Ampolla.
c) Pústula.
d) Costra.

6. Una lesión de características similares a la vesícula pero de diámetro superior a 0,5 cm, se define como:

a) Ampolla.
b) Úlcera.
c) Costra.
d) Pústula.

7. Una lesión sólida de la piel, bien delimitada en sus bordes, elevada sobre la superficie cutánea y menor de 1 cm de diámetro, se conoce como:

a) Roncha o habón.
b) Pápula.
c) Nódulo.
d) Costra.

8. La roncha o habón es una lesión caracterizada por:

a) Ser una lesión sólida de la piel.
b) Ser levemente elevada sobre la superficie.
c) Ser, con frecuencia, pruriginosa.
d) Todas las respuestas anteriores son correctas.

9. Una costra se produce por la coagulación o solidificación sobre la superficie de la piel de:

a) Suero.
b) Pus.
c) Sangre.
d) Cualquiera de los anteriores.

10. El herpes simple es una infección producida por:

a) Hongos.
b) Bacterias.
c) Virus.
d) Parásitos.

11. La sarna:

a) Es conocida también como escabiosis.
b) Se debe a un ácaro.
c) Afecta sobre todo a la epidermis.
d) Todas.

12. El acné juvenil:

a) Aparece en la pubertad.
b) Es una micosis.
c) Se caracteriza porque en su aparición intervienen factores hormonales, genéticos e infecciones añadidas por bacterias.
d) Son correctas las respuestas a y c.

13. La capa más superficial y externa de la piel recibe el nombre de:

a) Epidermis.
b) Hipodermis.
c) Dermis externa.
d) Dermis interna.

14. Desde el punto de vista histológico podemos diferenciar en la epidermis varios estratos; ¿cuál de los siguientes es el más superficial?

a) Estrato espinoso.
b) Estrato granuloso.
c) Estrato córneo.
d) Estrato germinativo.

15. ¿Cuál de las siguientes capas de la piel no posee vasos sanguíneos ni terminaciones nerviosas?

a) Epidermis.
b) Dermis.
c) Hipodermis.
d) Todos poseen terminaciones nerviosas y sistema vascular.

16. ¿En qué capa de la piel se alojan las glándulas sebáceas, las glándulas sudoríparas y los folículos pilosos?

a) Epidermis.
b) Hipodermis.
c) Dermis.
d) Ninguna de los anteriores.

17. Las glándulas sudoríparas están distribuidas por casi todas las regiones de la piel, ¿en cuál de las siguientes estructuras anatómicas no están presentes?

a) Axilas.
b) Labios.
c) Párpados.
d) Conducto auditivo externo.

18. ¿Qué sustancia es la responsable de la dureza característica de las uñas?

a) Melanina.
b) Tirosina.
c) Queratina.
d) Tironina.

19. ¿Cuál de los siguientes tumores cutáneos es de carácter benigno?

a) Epitelioma basocelular.
b) Epitelioma espinocelular.
c) Melanoma.
d) Nevus melanocítico.

20. ¿Cuál es el síntoma característico de la pediculosis?

a) Prurito intenso.
b) Dolor.
c) Fiebre.
d) Mialgias.

21. La higiene del paciente es función de:

a) El celador.
b) La limpiadora.
c) El auxiliar de enfermería.
d) Todos los anteriores son responsables.

22. ¿Cuál de las siguientes afirmaciones es cierta?

a) La higiene es una suma de procesos que permite una mejor defensa de la piel contra las enfermedades.

b) En la persona enferma la higiene debe hacerse más minuciosamente que en un individuo sano.

c) Demasiada higiene en los enfermos muy graves hace que su recuperación pueda ser más lenta.

d) a y b son ciertas.

23. El riesgo de macerarse de la piel sucia con restos de orina o excrementos, puede evitarse:

a) Lavándose únicamente cuando se orina o defeca.
b) Lavándose 2 veces al día.
c) Lavándose cada hora.
d) Lavándose varias veces, todas las que sean necesarias.

24. Con respecto al lavado del paciente, hay que tener en cuenta:

a) El pudor de la persona, pues a nadie le gusta mostrar su desnudez en esas circunstancias y ante personas extrañas.
b) Que se sienta cómodo y tratar de utilizar los productos higiénicos que use en su domicilio, si es posible.
c) Secar después de los cuidados y recalentarlo si se ha enfriado.
d) a y c son correctas.

25. Con respecto al material usado para el aseo, son elementos de protección:

a) Hule, sábana pequeña y manta de baño.
b) Hule, sábana pequeña, manta de baño y guantes.
c) Hule, sábana pequeña y guantes.
d) Hule, sábana pequeña, guantes y jabón.

26. Los elementos de lavado son:

a) Toallas, guantes, esponjas, palangana, agua, jabón, crema hidratante, jarra, etc.
b) Toallas, guantes, esponjas, palangana, agua, jabón, sábana pequeña, jarra, etc.
c) Toallas, guantes, esponjas, palangana y jabón.
d) Toallas, guantes, manta de baño, palangana, agua, jabón, crema hidratante, jarra, etc.

27. Una de las siguientes afirmaciones es correcta. Señálela:

a) La ducha tiene un efecto relajante.
b) El baño tiene un efecto estimulante.
c) Para realizar el aseo del paciente encamado hay que desnudarlo completamente.
d) En caso de fiebre el baño debe ser tibio o frío, con el fin de bajar la temperatura corporal.

28. Para que el paciente se dé un baño o ducha, es necesario proporcionarle:

a) Dos toallas y jabón.
b) Pijama o camisón.
c) Bata.
d) Todo lo anterior.

29. Cuando el paciente se encuentra encamado, el baño completo en cama:

a) No debe realizarse a diario.
b) Debe realizarse todos los días.
c) Debe realizarse, como mínimo, dos veces al día.
d) No debe hacerse en ningún caso.

30. La temperatura de la habitación para la realización del baño al paciente encamado, debe ser de:

a) 18 °C.
b) 24 °C.
c) 37 °C.
d) 19 °C.

31. Generalmente la temperatura del agua para el aseo e higiene del paciente, salvo excepciones, es de:

a) 17 ºC.
b) 27 ºC.
c) 37 ºC.
d) 47 ºC.

32. En cuanto a la técnica de baño completo en la cama del enfermo, no es correcto:

a) Preparar el material al alcance de la mano.
b) Proteger al enfermo y la cama.
c) Reducir al máximo los movimientos del paciente.
d) Abrir las ventanas para facilitar la entrada de corrientes de aire en verano.

33. Para realizar el baño del paciente encamado, se necesita:

a) Que la temperatura del agua esté entre 37-40 ºC.
b) Entremetida.
c) Tijeras de punta roma.
d) Todos.

34. El baño al paciente encamado hay que realizarlo por partes. Lo último que debe lavarse son:

a) Las extremidades inferiores.
b) Espalda y nalgas.
c) Genitales externos.
d) Manos.

35. El baño al paciente encamado hay que realizarlo por partes. Lo primero que debe lavarse son:

a) Las extremidades inferiores.
b) Espalda y nalgas.
c) Cara, cuello y orejas.
d) Manos.

36. El orden a seguir para realizar el baño al paciente encamado es:

a) Cara, cuello y orejas – Brazos y manos – Tórax – Abdomen – Extremidades inferiores – Genitales externos – Espalda y nalgas.
b) Cara, cuello y orejas – Brazos y manos – Tórax – Abdomen – Extremidades inferiores – Espalda y nalgas –Genitales externos.
c) Brazos y manos – Cara, cuello y orejas – Tórax – Abdomen – Extremidades inferiores – Espalda y nalgas – Genitales externos.
d) Todas son correctas, puesto que no tiene importancia el orden en que se realice.

37. Para el lavado o higiene de los genitales externos, indique lo incorrecto:

a) Se precisa una cuña.
b) Se hace siempre en la dirección de ano a genitales externos.
c) Se realiza al final del procedimiento.
d) Se hace siempre en la dirección de genitales externos a región anal.

38. Anciana encamada. El aseo perineal debe hacerse en posición de:

a) Piernas separadas y flexionadas (litotomía).
b) Decúbito supino.
c) Decúbito lateral.
d) Sedestación.

39. En la higiene de la cara del paciente, lo primero que se limpia es:

a) La boca.
b) Las orejas.
c) Los párpados.
d) Las aletas de la nariz.

40. En el aseo del paciente encamado, lo penúltimo que debe lavarse es:

a) Las piernas y pies.
b) La región genital.
c) Ojos.
d) Espalda y nalgas.

41. Con respecto al lavado de genitales en varones, es incorrecto:

a) Lavar con agua templada.
b) Lavar la zona anal y después el glande.
c) Lavar el glande y después la zona anal.
d) Todas son incorrectas.

42. ¿Cómo debe realizarse la higiene de los genitales en un enfermo sin sonda uretral?

a) Siguiendo la dirección de los genitales a la región anal.
b) Siguiendo la dirección de la región anal a los genitales.
c) Realizando círculos concéntricos.
d) Todas son correctas.

43. ¿Cuál es la parte anatómica del paciente que lavamos en último lugar?

a) Espalda.
b) Región genital.
c) La cara.
d) Extremidades inferiores.

44. En el aseo general, después del abdomen lavamos:

a) Extremidades superiores.
b) Espalda y glúteos.
c) Extremidades inferiores.
d) Genitales.

45. Para realizar la higiene del cabello en un paciente encamado, hay que colocarle en la posición de:

a) Roser.
b) Morestin.
c) Sims.
d) Fowler.

46. Para el lavado del cabello del paciente encamado, se precisa, entre otras cosas:

a) Algodón.
b) Toallas.
c) Hule.
d) Todas.

47. Para la higiene de la boca del paciente encamado, se precisa, entre otras cosas:

a) Gasas.
b) Batea.
c) Cepillo y seda dental.
d) Todos.

48. En el lavado higiénico de la boca del paciente inconsciente, se precisa:

a) Cepillo dental.
b) Seda dental.
c) Pinza de Kocher.
d) Las opciones a y b son correctas.

49. Del siguiente material, ¿cuál no es necesario, a la hora de realizar el aseo bucal al paciente inconsciente?

a) Torundas.
b) Pinzas Kotcher.
c) Cepillo de dientes.
d) Vaselina.

50. Necesitamos realizar la higiene de la boca de un enfermo inconsciente, ¿cuál de los siguientes materiales hace falta para realizar el procedimiento?

a) Pinzas de Mayo.
b) Pinzas de Metzenbaum.
c) Pinzas de diéresis.
d) Pinzas de Kocher.

51. El lavado de los genitales del paciente encamado se realiza:

a) De atrás hacia delante (de ano a pubis).
b) De delante hacia atrás (de pubis a ano).
c) Colocando una cuña debajo de la pelvis.
d) B y c son correctas.

52. En el cuidado de los pies, las uñas se cortarán siempre:

a) Siguiendo la curvatura del dedo.
b) En línea recta.
c) Como acostumbra el enfermo.
d) En pico.

53. La duración media de un baño al recién nacido es de:

a) 2 a 3 minutos.
b) 3 a 4 minutos.
c) 5 a 7 minutos.
d) 8 a 10 minutos.

54. ¿Cuál de las siguientes características no es propia de la ropa infantil hospitalaria?

a) Debe ser holgada y cómoda.
b) Los botones serán grandes, asegurando su correcta fijación.
c) Evitará los compuestos sintéticos.
d) Será fácil de poner y quitar.

55. ¿Cuál de las siguientes características no pertenecen a la cuna?

a) Debe ser fija.
b) Sin ruedas para evitar su desplazamiento.
c) El colchón será duro.
d) El colchón se encontrará siempre protegido con una funda impermeable.

56. La temperatura de la incubadora, una vez que el niño ya lleva un tiempo prudencial en ella, debe de ser:

a) Temperatura ambiente.
b) 37 ºC.
c) 36-36,9 ºC.
d) 36 ºC.

Solución al test n.º 6

1. d) Sostén.

2. b) Glándulas salivares.

3. a) Vesícula.

4. b) Escamas.

5. c) Pústula.

6. a) Ampolla.

7. b) Pápula.

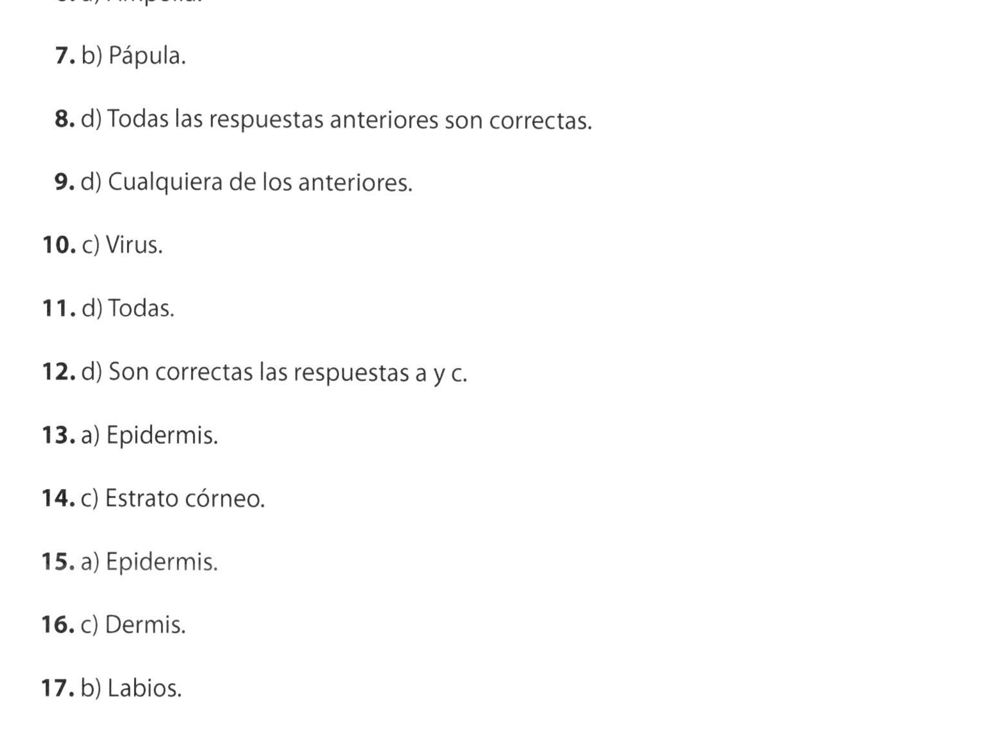

8. d) Todas las respuestas anteriores son correctas.

9. d) Cualquiera de los anteriores.

10. c) Virus.

11. d) Todas.

12. d) Son correctas las respuestas a y c.

13. a) Epidermis.

14. c) Estrato córneo.

15. a) Epidermis.

16. c) Dermis.

17. b) Labios.

18. c) Queratina.

19. d) Nevus melanocítico.

20. a) Prurito intenso.

21. c) El auxiliar de enfermería.

22. d) a y b son ciertas.

23. d) Lavándose varias veces, todas las que sean necesarias.

24. d) a y c son correctas.

25. a) Hule, sábana pequeña y manta de baño.

26. a) Toallas, guantes, esponjas, palangana, agua, jabón, crema hidratante, jarra, etc.

27. d) En caso de fiebre el baño debe ser tibio o frío, con el fin de bajar la temperatura corporal.

28. d) Todo lo anterior.

29. b) Debe realizarse todos los días.

30. b) 24 °C.

31. c) 37 ºC.

32. d) Abrir las ventanas para facilitar la entrada de corrientes de aire en verano.

33. d) Todos.

34. c) Genitales externos.

35. c) Cara, cuello y orejas.

36. b) Cara, cuello y orejas – Brazos y manos – Tórax – Abdomen – Extremidades inferiores – Espalda y nalgas –Genitales externos.

37. b) Se hace siempre en la dirección de ano a genitales externos.

38. a) Piernas separadas y flexionadas (litotomía).

39. c) Los párpados.

40. d) Espalda y nalgas.

41. b) Lavar la zona anal y después el glande.

42. a) Siguiendo la dirección de los genitales a la región anal.

43. b) Región genital.

44. c) Extremidades inferiores.

45. a) Roser.

46. d) Todas.

47. d) Todos.

48. c) Pinza de Kocher.

49. c) Cepillo de dientes.

50. d) Pinzas de Kocher.

51. d) B y c son correctas.

52. b) En línea recta.

53. c) 5 a 7 minutos.

54. b) Los botones serán grandes, asegurando su correcta fijación.

55. b) Sin ruedas para evitar su desplazamiento.

56. b) 37 ºC.

TEST N.º 7

Atención del Auxiliar de Enfermería al residente encamado: Posición anatómica y alineación corporal. Procedimientos de preparación de las camas. Transferencias. Cambios posturales. Drenajes: Manipulación y cuidado. Las necesidades de movilización de las personas con movilidad reducida. Técnicas de deambulación. Técnicas de traslado. Fisioterapia y terapia ocupacional: colaboración del auxiliar

1. Respecto al plano sagital, el dedo gordo del pie es el más:

a) Grueso.
b) Caudal.
c) Externo.
d) Medial.

2. El principal eje del cuerpo es:

a) Longitudinal.
b) Transversal.
c) Sagital.
d) Todos son ejes principales del cuerpo.

3. ¿Cómo se denomina el eje que recorre al cuerpo en toda su longitud?

a) Longitudinal.
b) Transversal.
c) Sagital.
d) Coronal.

4. ¿Cuál es el eje que posee una orientación de adelante hacia atrás?

a) Transversal.
b) Longitudinal.
c) Sagital.
d) Horizontal.

5. ¿Cómo se denomina el plano que divide al cuerpo en dos mitades?

a) Sagital o medio.
b) Transversal u horizontal.
c) Medio o frontal.
d) Oblicuo.

6. El plano que divide al cuerpo en una zona superior y otra inferior es el:

a) Sagital.
b) Medio.
c) Transversal.
d) Oblicuo.

7. El cuadrante superior del abdomen se divide en:

a) Fosa ilíaca izquierda, fosa ilíaca derecha e hipogastrio.
b) Hipocondrio izquierdo, epigastrio e hipocondrio derecho.
c) Vacío renal derecho, mesogastrio y vacío renal izquierdo.
d) En todo lo anterior se divide.

8. Tomando como referencia la direcciones de los movimientos. Cuando es un movimiento de alejamiento del plano medio, se habla de:

a) Abducción.
b) Aducción.
c) Eversión.
d) Rotación.

9. Tomando como referencia la direcciones de los movimientos. Cuando es un movimiento de acercamiento del plano medio, se habla de:

a) Abducción.
b) Aducción.
c) Eversión.
d) Rotación.

10. Tomando como referencia la direcciones de los movimientos. Cuando es un movimiento de cambio de dirección hacia fuera, se habla de:

a) Abducción.
b) Aducción.
c) Eversión.
d) Rotación.

11. En el ámbito sanitario se denomina "unidad de paciente":

a) A la medida que se utiliza para saber cuántos enfermos atiende un centro sanitario.
b) Al personal facultativo o no facultativo que atiende al enfermo, está excluido de este concepto al personal no sanitario como los celadores.
c) Al área formada por el espacio de la habitación, el mobiliario que hay en ella y los materiales que utiliza el paciente durante el tiempo de hospitalización.
d) Ninguna es correcta.

12. ¿Es habitual encontrar un sillón para el acompañante en una unidad tipo?

a) Sí, una silla o sillón para el enfermo y otra silla o sillón para el acompañante.
b) Sí, un sofá-cama por si los hijos del enfermo no tuvieran la posibilidad de quedarse en otro lugar.
c) No, sólo las clínicas privadas contemplan esta posibilidad.
d) Las instituciones públicas no tienen en ningún caso un sillón para el acompañante, en caso de existir una silla o sillón es para el enfermo aunque se permite que lo use el acompañante si el paciente no lo necesita en un determinado momento.

13. El mobiliario de una habitación de hospital debe ser de color:

a) Beige.
b) Verde.
c) Blanco.
d) Gris.

14. El espacio existente entre una cama hospitalaria y la pared lateral, debe ser como mínimo de:

a) No importa tal separación.
b) 0,5 metros.
c) 0,3 metros.
d) 1,10 metros.

15. En una habitación con dos camas o más, el espacio mínimo aconsejado entre ambas es:

a) 1,20 m, y con respecto a la pared 1,50 m.
b) 1,80 m.
c) No existe ningún espacio concreto aconsejado entre camas, se dejará lo máximo posible.
d) El espacio mínimo aconsejado entre camas es de 1,20 m y un mínimo de 1,10 m entre el lateral y la pared.

16. En la habitación de dos o más camas, debe existir un espacio suficiente entre cada dos camas, siendo el mínimo aconsejado de:

a) 0,5 metros.
b) No importa tal separación.
c) 0,3 metros.
d) 1,20 metros.

17. La consideración de la iluminación natural como elemento favorecedor del buen estado de ánimo de los pacientes es:

a) Cierto, además de ser un agente desinfectante importante.
b) Igual que la luz artificial.
c) Incierto, cuando las personas están enfermas lo que necesitan es la medicación adecuada.
d) Incierto, en muchos casos, incluso es perjudicial para el estado de ánimo ya que invita al enfermo a pensar que estaría mejor fuera del centro sanitario.

18. Respecto a la ventilación de las habitaciones de los hospitales, es cierto que:

a) Si el hospital no dispone de aire acondicionado que realice esta función, habrá que abrir la ventana de 10 a 15 minutos diarios.
b) Todos los días entre 8 y 8:15 de la mañana hay que abrir las ventanas ya que es la hora más adecuada para ello.
c) No es necesario hacerlo, de hecho sería peligroso para la población en general que los virus y bacterias que hay en todos los hospitales de una ciudad, salgan de ese espacio cerrado y controlado.
d) Es necesario realizarla al menos 3 veces al día.

19. ¿Cuál es el color más adecuado para las habitaciones de un hospital?

a) Los colores chillones y alegres son los más adecuados para que el estado de ánimo del paciente mejore.
b) Únicamente se deben pintar de blanco, para ver mejor la suciedad.
c) Lo ideal es cambiar de color con frecuencia siendo indiferente los que se elijan.
d) De colores claros y sin brillo, que no absorban la luz y que no produzcan reflejos, el blanco mate parece el más adecuado.

20. El color más adecuado para las paredes de las habitaciones de un hospital es:

a) Beige.
b) Blanco brillo.
c) Blanco mate.
d) Amarillo.

21. ¿Es adecuado que el volumen de la radio o la televisión esté alto para que los enfermos estén más entretenidos?

a) Sí, es adecuado, de hecho hay estudios que demuestran que cuando los enfermos están entretenidos, sanan a más velocidad.

b) Sí, aunque no hay consenso sobre si es mejor alto o muy alto.

c) Las habitaciones deben ser tranquilas, y el volumen de cualquier aparato e incluso de las conversaciones debe ser muy bajo.

d) El volumen dependerá de la apetencia personal de los pacientes.

22. La temperatura de las habitaciones de un hospital debe oscilar, según la época del año, entre:

a) 20-22 ºC.

b) 30-32 ºC.

c) 28-30 ºC.

d) 24-26 ºC.

23. Respecto al porcentaje de humedad que se considera aceptable, señale la afirmación correcta:

a) Es aceptable una humedad de entre un 40 y un 60%, aunque existen patologías que requieren una disminución de la humedad en el ambiente.

b) Cuanta menos humedad, más se favorece la propia hidratación de la piel y por lo tanto es más saludable.

c) La humedad debe ser la que el paciente crea adecuada, el celador sólo intervendrá en caso de discrepancia entre dos o más pacientes.

d) Los límites que se consideran aceptables oscilan entre 20-30%, si bien, existen patologías que requieren una disminución del grado de humedad.

24. En todas las habitaciones de hospital es imprescindible que exista:

a) Cama, mesita de noche, armario, televisor y toma de oxígeno.

b) Cama, mesita de noche, armario, televisor, toma de oxígeno, toma de aspiración e interfono.

c) Cama, mesita de noche, armario, silla y/o sillón, baño incorporado si es posible y si no fuera así un lavamanos, toma de oxígeno, toma de aspiración e interfono.

d) Cama, mesita de noche, armario, silla y/o sillón, baño incorporado si es posible y si no fuera así un lavamanos, cortinas, toma de aspiración e interfono.

25. Señale la afirmación correcta en relación con las camas de hospital:

a) Deben ser cómodas y seguras, para ello deben estar sujetas al suelo con tornillos para inmovilizarlas y los colchones deben ser blandos.

b) Nunca tendrán ruedas para evitar posibles caídas.

c) Tendrán ruedas metálicas para evitar el ruido al trasladarla.

d) Tendrán ruedas que deben ser de goma para que protejan de la humedad, aíslen de posibles fugas eléctricas (electricidad estática) y no hagan ruido en su traslado.

26. La ubicación adecuada para una cama de hospital es:

a) Junto a la puerta para un mejor acceso del personal en caso de urgencia.

b) Si es posible, bajo una ventana para que la luz incida directamente sobre el paciente.

c) Es indiferente mientras el paciente se sienta cómodo.

d) Debe ser accesible desde los laterales y los pies de la cama y nunca estará bajo una ventana o muy cerca de la puerta.

27. Una cama hospitalaria:

a) Debe estar equipada con ruedas.

b) Debe poseer sistema de freno para bloquearla.

c) Debe poseer un colchón articulado.

d) Las opciones a y b son correctas.

28. Las dimensiones de una cama hospitalaria estándar en cuanto a su altura y sin colchón, será aproximadamente de:

a) 50 cm.

b) 70 cm.

c) 90 cm.

d) 1 metro.

29. ¿Cómo se denomina la cama que posee un somier metálico formado por dos o tres segmentos móviles y adaptables a las necesidades del paciente la cama?

a) Metálica de somier rígido.

b) Traumatológica.

c) Articulada.

d) Electrocircular.

30. Las camas articuladas tienen segmentos móviles que se mueven:

a) Con una manivela o con sistemas electrónicos.

b) Tirando de la parte móvil hacia arriba.

c) Las camas articuladas son una marca, no se mueven en realidad.

d) Bajando al enfermo de la cama.

31. Las camas articuladas, también pueden ser llamadas de Judet, y están indicadas:

a) Para enfermos crónicos ya que sus colchones son más cómodos y permiten estar más tiempo en ellos de forma cómoda.

b) Para enfermos con problemas circulatorios.

c) Para pacientes con fracturas y parálisis en las extremidades.
d) Esta afirmación es falsa, las camas de Judet no son las mismas que las articuladas.

32. ¿Cómo se denomina el marco que posee la cama ortopédica de Judet cuya finalidad es la de sujetar las poleas?

a) Marco electrocircular.
b) Marco de Balkan.
c) Marco de Judet.
d) Marco de Stroms.

33. Un paciente con parálisis de sus extremidades, necesita una cama:

a) Metálica.
b) Ortopédica o de Judet.
c) Electrocircular o de Stryker.
d) Una camilla articulada.

34. ¿Qué se pretende conseguir con una incubadora?

a) Esterilización de material quirúrgico.
b) Aislar al neonato de los sonidos ambientales.
c) Se utiliza para que los bebés con alergia a la luz estén protegidos, su funcionamiento aísla completamente de la luz al bebé que aloja en su interior.
d) Busca mantener al recién nacido prematuro en condiciones de temperatura y humedad adecuadas.

35. El armazón de volteo (Foster) se usa:

a) Cuando se necesita un cambio en la postura de un paciente que no puede hacerlo por sí mismo o con gran dificultad y con control, actualmente está en desuso.
b) Para poner inyectables en la nalga al paciente. Facilita la función del celador que no tendrá que voltearlo a peso.
c) Cuando se administra suero denso, para voltear el recipiente y que no se solidifique.
d) Todas son ciertas.

36. ¿Qué es una cama electrocircular?

a) Es una cama para dar masajes de rehabilitación.
b) Es una cama de electroimpulso que se usa para pacientes con problemas cardiacos. Permite generar impulsos de baja tensión a los pacientes que lo necesitan de forma automática.
c) Es una variedad de la cama articulada con la particularidad de que permite la angulación lateral.
d) La que consta de un doble dispositivo para el volteo y el viraje se realiza por medio de un motor eléctrico, permitiendo giros de 180º.

37. Una de las características que diferencia a la cama libro de la cama articulada es que:

a) Presenta un marco denominado de Balkan.
b) Presenta un dispositivo para el volteo.
c) Utiliza un flujo continuo de aire.
d) Permite la angulación lateral.

38. Una de las siguientes afirmaciones sobre la cama libro es verdadera, señale cuál:

a) Una cama libro es una variedad de la cama articulada con la particularidad de que permite la angulación lateral.
b) Una cama libro utiliza un flujo continuo e intenso de aire que permite que el paciente permanezca en suspensión.
c) Una cama libro se emplea para mantener al recién nacido prematuro en un ambiente propicio de temperatura y humedad.
d) Una cama libro es aquella que se usa para que los pacientes puedan leer.

39. En las unidades de grandes quemados se utilizan unas camas especiales que evitan el contacto de estos pacientes con cualquier accesorio de la cama, y que se denominan:

a) Cama libro.
b) Cama de Judet.
c) Cama de levitación.
d) Cama estándar.

40. El colchón alternating se utiliza:

a) Para prevenir las úlceras de presión.
b) En pacientes fracturados.
c) Para enfermos pulmonares.
d) Para enfermos renales.

41. Entre los accesorios que debe tener una cama hospitalaria, no se encuentra:

a) Rejas o barandillas de seguridad.
b) Soportes de bolsas urinarias.
c) Soporte o pie de suero.
d) Cuña evacuadora.

42. ¿Cuál de los siguientes es un accesorio de la cama hospitalaria?

a) La barra de tracción, que es un armazón metálico que pende del denominado marco de Balkan.
b) Las rejas de seguridad o barandillas, que son protectores de metal que se sujetan en los laterales de la cama.

c) Los centinelas de cama o protectores de las barandillas. Son almohadillas de polietileno hinchadas con aire.

d) Todas las anteriores son correctas.

43. El colchón antiescaras o alternating está compuesto por:

a) Dos motores que accionan un compresor-descompresor, que permiten el llenado y vaciado sucesivo de una especie de bolas neumáticas.

b) Una espuma con muchos poros.

c) Una bolsa de aire para que el movimiento sea continuo.

d) a y b son correctas.

44. El colchón de agua es:

a) Un dispositivo utilizado en la prevención de escaras, puesto que reparte las presiones sobre una gran superficie.

b) Un sistema para bañar a los enfermos que no pueden hacerlo por sus medios.

c) El colchón que podemos ver en los hospitales con mayor asiduidad.

d) Un colchón que tiene sus laterales rígidos para llenarlo de agua, y se utiliza como terapia para los pacientes con fobia al agua.

45. El uso del hule impermeable en la cama tiene como fin:

a) Desplazar al enfermo hacia la cabecera de la cama.

b) Proteger. Son de material de plástico por lo que aumenta la incomodidad del paciente, se puede sustituir por pañales de celulosa desechables.

c) Evitar que el paciente se manche.

d) b y c son correctas.

46. La lencería de una cama hospitalaria incluye:

a) Hule, entremetida y cubrecolchón.

b) Sábanas y cubrecama.

c) Funda de almohada y manta.

d) Todas las respuestas anteriores son correctas.

47. La pieza de lencería que se puede utilizar para desplazar al enfermo hacia la cabecera de la cama cuando este se ha ido resbalando hacia abajo de la cama se llama:

a) Sábana encimera.

b) Cubrecolchón.

c) Entremetida.

d) Sábana bajera.

48. Desde la supervisión de enfermería nos encargan que doblemos las piezas de la lencería; ¿cómo se dobla la colcha?

a) Se dobla a lo largo y con el lado derecho hacia fuera.
b) Se dobla a lo largo y con el lado derecho hacia el interior.
c) Se dobla a lo ancho y con el revés hacia fuera.
d) Se dobla a lo ancho y con el lado derecho hacia el interior.

49. Para doblar la lencería de forma correcta debe tenerse en cuenta que:

a) La sábana bajera se dobla a lo largo y con el derecho hacia adentro.
b) La sábana encimera se dobla a lo ancho y con el revés hacia adentro.
c) La manta y la colcha se doblan a lo ancho y con el derecho hacia adentro.
d) Todas son ciertas.

50. Una de las siguientes opciones describe cómo se hace una cama desocupada, señale cuál:

a) Se le pide al paciente que se baje de la cama y se hace normalmente.

b) Se desplaza al paciente hacia un lado y se hace esa parte, cuando se acaba, se realiza el mismo procedimiento en el lado opuesto.

c) Se debe realizar entre dos auxiliares (o un auxiliar y un celador) que se colocarán cada uno a un lado de la cama, de forma que mientras uno hace su parte de la cama el celador sostiene al enfermo.

d) Todas son falsas.

51. El procedimiento a seguir para realizar la esquina de mitra o inglete es:

a) 1. Remeter la sábana en la parte de la cama en la que se quiera realizar la esquina. 2. Levantar la sábana para formar un triángulo. 3. Traer hacia abajo la parte superior del triángulo. 4. Remeter la parte que queda debajo del colchón.

b) 1. Remeter la sábana en la parte de la cama en la que se quiera realizar la esquina. 2. Levantar la sábana para formar un cuadrado. 3. Traer hacia abajo la parte superior del cuadrado. 4. Remeter la parte que queda debajo del colchón.

c) Es el mismo que el sistema Foster.

d) Las esquinas de las camas están sueltas para evitar que el paciente se sienta atrapado, de otro modo la sensación es de aprisionamiento y dificulta el bienestar del paciente.

52. Si un paciente ha evolucionado favorablemente y es dado de alta, la enfermera retira la vía y drenaje. El auxiliar de enfermería se encarga de:

a) Citarlo para la próxima revisión.
b) Hacer el plan de cuidados.
c) Explicar el tratamiento.
d) Retirar todo el material y dejar la habitación ordenada.

53. Al regreso a planta después de quirófano el auxiliar de enfermería debe de tener en cuenta:

a) Toma de oxígeno correcta.
b) Aspirador limpio y conectado.
c) Habitación limpia y confortable.
d) Todas las respuestas anteriores son correctas.

54. Al ingresar en planta usted, como auxiliar de enfermería, ¿Qué haría en primer lugar?

a) Plan de cuidados.
b) Plan de acogida.
c) Valoración inicial.
d) Escala de Barthel.

55. De los factores desencadenantes de la inmovilidad, ¿cuál es considerado como una causa psíquica?

a) Osteoporosis.
b) La soledad y el aislamiento.
c) Presbiacusia.
d) Neoplasias.

56. Con una sistemática de cambios posturales frecuentes y buenas posiciones se evitan:

a) Los estreñimientos.
b) Las astenias.
c) Las úlceras por presión.
d) La depresión.

57. La movilización del paciente encamado:

a) Previene las úlceras por presión.
b) Mejora la respiración del paciente.
c) Ayuda a mantener el tono muscular.
d) Todas son correctas.

58. Entre las reglas básicas para los TCAE que realizan cambios posturales y transporte de pacientes se encuentra:

a) Hacer el máximo uso de su dentro de gravedad.
b) Mantener el centro de gravedad alto.
c) Hacer uso de los músculos de la espalda.
d) Todas son ciertas.

59. La fuerza requerida para mantener el equilibrio conforme la línea de gravedad se aleja del punto de apoyo, se modificará:

a) Aumentando.
b) Disminuyendo.
c) Estabilizándose.
d) Ninguna es correcta.

60. Para proteger la espalda en la movilización de los pacientes deberemos:

a) No doblarla.
b) Usar los músculos de las piernas.
c) Usar un ángulo de tracción de 45 º.
d) Subir el nivel de gravedad.

61. Para proteger los ligamentos y articulaciones al realizar un esfuerzo, los músculos abdominales y glúteos se deben:

a) Relajar.
b) Contraer.
c) Estabilizar.
d) Reforzar.

62. Para movilizar a un paciente encamado, hay que tener en cuenta:

a) El estado del paciente.
b) Si el paciente está en condiciones de colaborar.
c) Si la patología del paciente lo permite.
d) Todas son correctas.

63. Indique la opción incorrecta; cuando el paciente no colabora para hacer un cambio postural:

a) Se coloca un auxiliar de enfermería al lado derecho de la cama y otro al lado izquierdo.
b) Los pies del auxiliar de enfermería deben estar separados y las rodillas ligeramente flexionadas.
c) Hay que retirar la almohada del paciente.
d) Se le dice al paciente que haga fuerzas con sus pies y brazos intentando incorporarse.

64. Para movilizar un paciente con la ayuda de una sábana, debemos:

a) Doblar la sábana a la mitad y a lo ancho.
b) Hacer el segundo doblez de la sábana a la mitad y a lo largo.
c) Introducir la sábana debajo del paciente desde el hombro hasta el muslo.
d) Todas son correctas.

65. La movilización del paciente con ayuda de una sábana debe realizarse entre:

a) Una persona cualificada.
b) Dos personas cualificadas.
c) Tres personas.
d) Cuatro personas.

66. Si queremos movilizar a un paciente con una sábana, esta deberá estar:

a) Desde el hombro hasta el muslo.
b) Desde la cabeza hasta los pies.
c) Desde las axilas hasta las caderas.
d) En la cabeza.

67. Para mover los miembros inferiores del paciente deberemos:

a) Situar un brazo bajo los glúteos y otro bajo los muslos.
b) Situar un brazo debajo de su muslo y otro bajo las piernas.
c) Tirar de las caderas.
d) Empujar las piernas desde el lado contrario de la cama.

68. Si queremos mover al enfermo hacía el borde de la cama el TCAE se colocará:

a) En el lado de la cama hacia donde queremos mover al paciente.
b) En el lado de la cama contrario al que queremos mover al paciente.
c) En la cabecera de la cama.
d) El celador no debe realizar este movimiento.

69. El objetivo de colocar al paciente en decúbito lateral es:

a) Aliviar las zonas de presión.
b) Proporcionar comodidad.
c) Realizar la higiene de forma adecuada.
d) Todas son ciertas.

70. Si queremos colocar a un paciente en decúbito lateral deberá estar:

a) En el filo de la cama.
b) En medio de la cama.
c) A los pies de la cama.
d) Lo pondremos en esta posición esté donde esté.

71. Si vamos a mover a un enfermo hacía arriba de la cama y no coopera, la almohada:

a) Deberemos quitarla.
b) Deberemos dejarla.

c) Deberemos colocarla bajo los pies.
d) Da igual donde esté la almohada.

72. Si queremos movilizar un paciente hacía arriba en la cama y este colabora, le pediremos que se agarre a:

a) Nuestra cintura.
b) La cabecera de la cama.
c) Nuestros hombros.
d) No debe agarrarse a nada.

73. Si queremos poner de pie a un enfermo que está acostado, incorporaremos al paciente aplicando el procedimiento de:

a) Entrecruzamiento de piernas.
b) Entrecruzamiento de brazos.
c) Tirar de las manos.
d) Ninguna es cierta.

74. Si queremos poner de pie a un paciente que está sentado le pediremos que pase uno de sus brazos alrededor de:

a) Su cabeza.
b) Nuestro hombro.
c) Nuestra cintura.
d) Su pecho.

75. Si queremos poner a un enfermo acostado de pie deberemos colocar la cama para disminuir el esfuerzo:

a) Subiendo la cabecera 60º.
b) Subiendo los pies 60º.
c) Dejando la cama completamente horizontal.
d) Ninguna es cierta.

76. Si queremos movilizar a un paciente con hemiplejía el TCAE se colocará:

a) En el lado hacia el que lo queramos mover.
b) En el lado opuesto hacia el que lo queramos mover.
c) En el lado que conserva la movilidad.
d) En el lado que no conserva la movilidad.

77. Existen pacientes con determinadas patologías que el TCAE debe conocer para su correcta manipulación, en caso contrario podríamos dañar al paciente. ¿Qué pacientes no deben ser movilizados?

a) Pacientes con fractura de fémur.
b) Pacientes con TCE.

c) Pacientes encamados.
d) Pacientes con GEA.

78. Podemos definir el traslado en nuestro entorno como:

a) La movilización del paciente de una zona a otra dentro del hospital.
b) El paso de un paciente de un hospital a otro.
c) El cambio de postura de un paciente en su cama.
d) Todas son ciertas.

79. En el traslado de un paciente de la cama a la silla de ruedas, cuando este colabora, es cierto que:

a) Una vez de pie, hay que indicarle que se gire de espaldas a la silla.
b) Una vez de pie, hay que indicarle que se coloque frente a la silla.
c) Una vez de pie, hay que indicarle que se coloque de forma lateral a la silla.
d) Ninguna es correcta.

80. Si queremos pasar un paciente de una silla de ruedas a la cama y colabora, serán necesaria la ayuda de:

a) 3 auxiliares.
b) 2 auxiliares.
c) 1 auxiliar.
d) No hará falta nadie.

81. Si queremos pasar a un paciente a una silla de ruedas y no colabora los TCAE deben colocarse:

a) Uno frente al paciente y el otro sujetará la silla de ruedas.
b) Uno a cada lado del paciente.
c) Los dos al mismo lado del paciente.
d) Es suficiente con un celador.

82. En el traslado de un paciente en silla de ruedas:

a) Se empuja por detrás.
b) Se empuja por delante.
c) Se empuja por detrás siempre, excepto cuando se sale o entra en el ascensor.
d) Se empuja por delante siempre, excepto cuando se sale o entra en el ascensor.

83. El traslado de un paciente en silla de ruedas exige saber que se:

a) Empuja por detrás.
b) El auxiliar debe entrar en el ascensor antes que la silla.

c) El auxiliar debe salir del ascensor después de la silla.
d) Sólo son ciertas las respuestas a y b.

84. Si queremos pasar a un paciente de una cama a una camilla harán falta varias personas, aunque siempre una lo cogerá:

a) Por los pies.
b) Por las rodillas.
c) Por la cintura.
d) Por los hombros.

85. Si trasladamos al paciente en una camilla el TCAE deberá ir:

a) A los pies de la camilla.
b) En la cabecera de la camilla.
c) En un lado de la camilla.
d) Depende del peso del paciente.

86. ¿Qué ejercicios de amplitud de movimientos precisan que el paciente esté en posición bípeda?

a) De espalda.
b) De caderas.
c) De tobillo.
d) Ninguna es correcta.

87. La frecuencia con que se deben realizar los ejercicios de amplitud de movimientos, al principio, es de:

a) 1 a 2 veces.
b) 3 a 5 veces.
c) 5 a 10 veces.
d) Ninguna es correcta.

88. Los ejercicios que tienen como fin fortalecer y tonificar los músculos se denominan:

a) Isométricos.
b) Aeróbicos.
c) Anaeróbicos.
d) De amplitud.

89. En los ejercicios para fortalecer los músculos de brazos y abdomen, las contracciones de dichos músculos tienen una duración de:

a) 2 a 4 segundos.
b) 5 a 10 segundos.

c) 10 a 15 segundos.
d) Ninguna es correcta.

90. La pauta de frecuencia de los ejercicios isométricos es de:

a) Repetir 5 veces cada ejercicio, 5 veces al día.
b) Repetir 3 veces cada ejercicio, 3 veces al día.
c) Repetir 3 veces cada ejercicio, 5 veces al día.
d) Ninguna es correcta.

91. Al caminar el paciente deberá apoyar primero:

a) Los dedos del pie.
b) La protuberancia situada en la base de los dedos.
c) El talón.
d) La base del pie al completo.

92. Cuando un paciente inicia la deambulación el TCAE:

a) Debe permanecer atento a todos los movimientos para evitar accidentes.
b) Debe dejarlo sólo para facilitar la adaptación.
c) No debe hacer nada.
d) Debe dar el consentimiento…

93. El bastón debe adaptarse al paciente y extenderse desde:

a) El trocánter mayor hasta el suelo.
b) La cintura hasta el suelo.
c) La axila hasta el suelo.
d) Lo decidirá el paciente.

94. El uso de bastones en la deambulación:

a) Proporciona apoyo y seguridad.
b) Sube el punto de gravedad.
c) Está indicado en patologías bilaterales.
d) Aumenta el esfuerzo en el desplazamiento.

95. En un paciente que usa bastón, adelantará a la vez que el bastón:

a) La pierna afectada.
b) La pierna no afectada.
c) Ninguna de las dos piernas.
d) Es indiferente.

96. El bastón se sujetará con la mano:

a) Del lado no afectado.
b) Del lado afectado.
c) Es indiferente.
d) Las opciones b y c son correctas.

97. La distancia a recorrer en cada movimiento hacia delante del bastón es:

a) 10 cm.
b) 20 cm.
c) 15 cm.
d) Ninguna es correcta.

98. La distancia en paralelo entre el bastón y la pierna no afectada, es de:

a) 10 cm.
b) 20 cm.
c) 15 cm.
d) Ninguna es correcta.

99. Las muletas para el antebrazo se denominan:

a) Muletas de plataforma.
b) Muletas bajas.
c) Muletas de Lofstrans.
d) Muletas de Müller.

100. En lo referente a la colocación de los brazos en las muletas, estos permanecerán:

a) Completamente estirados.
b) En ángulo de 45º.
c) En ángulo de 30º.
d) Ligeramente estirados.

101. La marcha con muletas denominada «marcha en tres puntos», se utiliza cuando el paciente:

a) Puede cargar el peso parcialmente en la pierna afectada.
b) Debe evitar cargar el peso en la pierna afectada.
c) Puede cargar el peso en ambas piernas.
d) Ninguna es correcta.

102. Para la secuencia de apoyo sobre cuatro puntos indicaremos al paciente:

a) Que avance primero ambas muletas y la pierna afectada y luego la sana.
b) Que debe avanzar simultáneamente muleta derecha y pie izquierdo, seguida de muleta izquierda y pie derecho.

c) Que apoye muleta derecha, pie izquierdo, muleta izquierda, pie derecho.
d) Ninguna es cierta.

103. ¿Cómo se denomina el drenaje que es un tubo en forma de T?

a) Penrose.
b) Kher.
c) Redon.
d) Pleurevac.

104. ¿Cuál de los siguientes drenajes es por aspiración o activos?

a) Penrose.
b) Kher.
c) Tejadillo.
d) Redon.

105. ¿Cuál de las siguientes es una característica del sistema de sello hidráulico?

a) Puede constar de 1, 2 o 3 frascos.
b) El sello de agua impide que el aire del exterior penetre en la cavidad abdominal.
c) El sello de agua está en el primer frasco.
d) Debemos prestar atención si colocamos un sistema de aspiración, ya que no tenemos forma de graduar la aspiración que estamos realizando.

106. El drenaje sobre el que el personal de Enfermería realiza una aspiración es el:

a) De succión.
b) De aspiración continua.
c) Simple.
d) Mixto.

107. ¿Cuál de los siguientes son drenajes simples?

a) Penrose, Levin y Redón.
b) SNG, Redón y cigarrillo.
c) Filiforme, Penrose y corola.
d) Penrose, Saratoga y Levin.

108. Las tracciones no están indicadas en:

a) Traumatismo espinal.
b) Alineación de los segmentos corporales.
c) Alivio del dolor.
d) Relajación muscular.

109. La terapia ocupacional tuvo sus orígenes a finales del siglo:

a) XX.
b) XIX.
c) XVIII.
d) XVII.

110. El motivo central de la terapia ocupacional es:

a) La curación.
b) La actividad.
c) La paliación.
d) La dependencia.

111. La definición «La terapia ocupacional es una profesión relacionada con la Salud que utiliza actividades con el propósito de que sean apropiadas a la edad y rol social de la persona para mejorar, desarrollar o mantener la capacidad de vivir independiente y satisfactoriamente» fue ideada por:

a) La OMS.
b) La Sociedad Española de Terapia Ocupacional.
c) La Asociación Europea de Terapia Ocupacional.
d) La Asociación Americana de Terapia Ocupacional.

112. Indique la incorrecta. Un ejercicio físico programado, sistémico y bajo control de monitores especializados tiene las siguientes ventajas para el enfermo:

a) Mejorar el funcionamiento del aparato cardiocirculatorio.
b) El corazón es capaz de tener un mejor bombeo de sangre.
c) Aumenta la frecuencia cardiaca y respiratoria en reposo.
d) La ventilación pulmonar mejora.

113. Indique la incorrecta. Entre las funciones que competen al Terapeuta profesional destacan:

a) Educar al paciente y a su familia en lo concerniente al programa rehabilitador.
b) Preparar los recursos materiales para que estén listos para su utilización.
c) Administrar el tratamiento intravenoso prescrito por el médico rehabilitador.
d) Realizar evaluaciones continuas para comprobar la evolución y la situación del paciente.

114. Entre los objetivos de la terapia ocupacional destaca:

a) La restauración psicomotriz.
b) La reversión laboral.

c) La colaboración en actividades recreativas.
d) Todas son correctas.

115. Las dosis media empleada en radioterapia produce:

a) Destrucción celular intensa.
b) Efecto antiálgico.
c) Alteración de la función normal de los órganos y vasodilatación.
d) Necrosis del tejido.

116. La hidroterapia utiliza como agente:

a) El agua.
b) El fuego.
c) Los rayos solares.
d) Los masajes.

117. Cuando utilizamos la electricidad para realizar fisioterapia se denomina:

a) Electrochoque.
b) Electroterapia.
c) Amperioterapia.
d) Imanterapia.

Solución al test n.º 7

1. d) Medial.

2. d) Todos son ejes principales del cuerpo.

3. a) Longitudinal.

4. c) Sagital.

5. a) Sagital o medio.

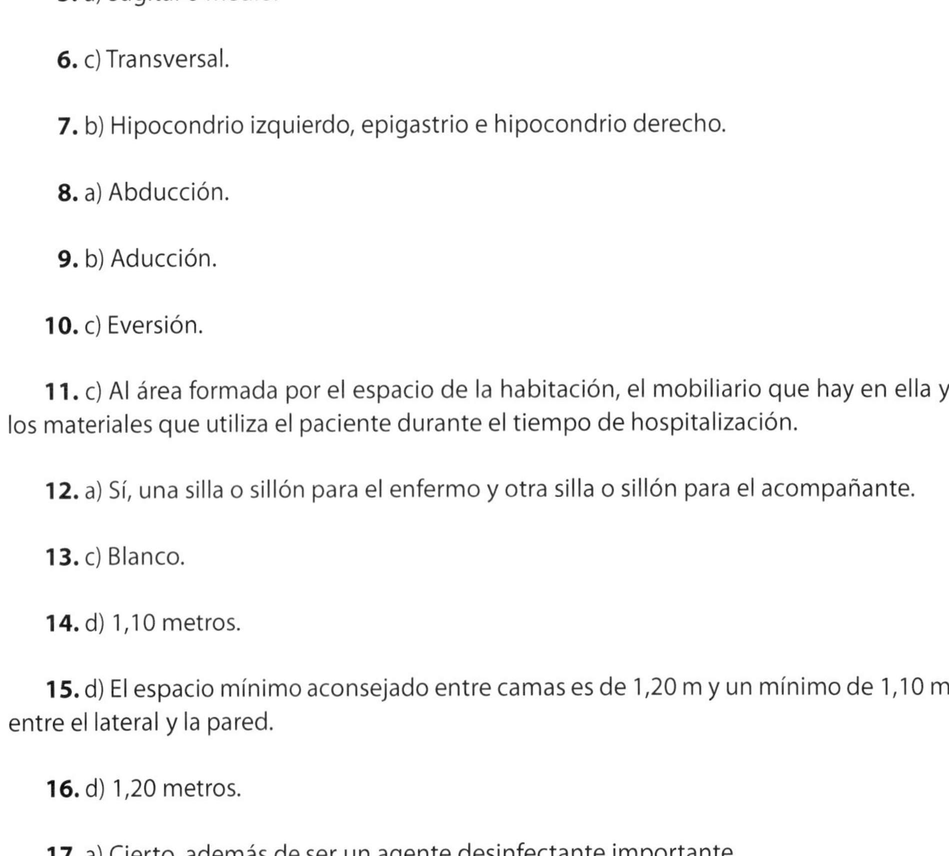

6. c) Transversal.

7. b) Hipocondrio izquierdo, epigastrio e hipocondrio derecho.

8. a) Abducción.

9. b) Aducción.

10. c) Eversión.

11. c) Al área formada por el espacio de la habitación, el mobiliario que hay en ella y los materiales que utiliza el paciente durante el tiempo de hospitalización.

12. a) Sí, una silla o sillón para el enfermo y otra silla o sillón para el acompañante.

13. c) Blanco.

14. d) 1,10 metros.

15. d) El espacio mínimo aconsejado entre camas es de 1,20 m y un mínimo de 1,10 m entre el lateral y la pared.

16. d) 1,20 metros.

17. a) Cierto, además de ser un agente desinfectante importante.

18. a) Si el hospital no dispone de aire acondicionado que realice esta función, habrá que abrir la ventana de 10 a 15 minutos diarios.

19. d) De colores claros y sin brillo, que no absorban la luz y que no produzcan reflejos, el blanco mate parece el más adecuado.

20. c) Blanco mate.

21. c) Las habitaciones deben ser tranquilas, y el volumen de cualquier aparato e incluso de las conversaciones debe ser muy bajo.

22. a) 20-22 ºC.

23. a) Es aceptable una humedad de entre un 40 y un 60%, aunque existen patologías que requieren una disminución de la humedad en el ambiente.

24. c) Cama, mesita de noche, armario, silla y/o sillón, baño incorporado si es posible y si no fuera así un lavamanos, toma de oxígeno, toma de aspiración e interfono.

25. d) Tendrán ruedas que deben ser de goma para que protejan de la humedad, aíslen de posibles fugas eléctricas (electricidad estática) y no hagan ruido en su traslado.

26. d) Debe ser accesible desde los laterales y los pies de la cama y nunca estará bajo una ventana o muy cerca de la puerta.

27. d) Las opciones a y b son correctas.

28. b) 70 cm.

29. c) Articulada.

30. a) Con una manivela o con sistemas electrónicos.

31. d) Esta afirmación es falsa, las camas de Judet no son las mismas que las articuladas.

32. b) Marco de Balkan.

33. b) Ortopédica o de Judet.

34. d) Busca mantener al recién nacido prematuro en condiciones de temperatura y humedad adecuadas.

35. a) Cuando se necesita un cambio en la postura de un paciente que no puede hacerlo por sí mismo o con gran dificultad y con control, actualmente está en desuso.

36. d) La que consta de un doble dispositivo para el volteo y el viraje se realiza por medio de un motor eléctrico, permitiendo giros de 180º.

37. d) Permite la angulación lateral.

38. a) Una cama libro es una variedad de la cama articulada con la particularidad de que permite la angulación lateral.

39. c) Cama de levitación.

40. a) Para prevenir las úlceras de presión.

41. d) Cuña evacuadora.

42. d) Todas las anteriores son correctas.

43. a) Dos motores que accionan un compresor-descompresor, que permiten el llenado y vaciado sucesivo de una especie de bolas neumáticas.

44. a) Un dispositivo utilizado en la prevención de escaras, puesto que reparte las presiones sobre una gran superficie.

45. b) Proteger. Son de material de plástico por lo que aumenta la incomodidad del paciente, se puede sustituir por pañales de celulosa desechables.

46. d) Todas las respuestas anteriores son correctas.

47. c) Entremetida.

48. d) Se dobla a lo ancho y con el lado derecho hacia el interior.

49. d) Todas son ciertas.

50. d) Todas son falsas.

51. a) 1. Remeter la sábana en la parte de la cama en la que se quiera realizar la esquina. 2. Levantar la sábana para formar un triángulo. 3. Traer hacia abajo la parte superior del triángulo. 4. Remeter la parte que queda debajo del colchón.

52. d) Retirar todo el material y dejar la habitación ordenada.

53. d) Todas las respuestas anteriores son correctas.

54. b) Plan de acogida.

55. b) La soledad y el aislamiento.

56. c) Las úlceras por presión.

57. d) Todas son correctas.

58. a) Hacer el máximo uso de su dentro de gravedad.

59. a) Aumentando.

60. b) Usar los músculos de las piernas.

61. b) Contraer.

62. d) Todas son correctas.

63. d) Se le dice al paciente que haga fuerzas con sus pies y brazos intentando incorporarse.

64. d) Todas son correctas.

65. b) Dos personas cualificadas.

66. a) Desde el hombro hasta el muslo.

67. b) Situar un brazo debajo de su muslo y otro bajo las piernas.

68. a) En el lado de la cama hacia donde queremos mover al paciente.

69. d) Todas son ciertas.

70. b) En medio de la cama.

71. a) Deberemos quitarla.

72. b) La cabecera de la cama.

73. b) Entrecruzamiento de brazos.

74. c) Nuestra cintura.

75. a) Subiendo la cabecera 60º.

76. c) En el lado que conserva la movilidad.

77. b) Pacientes con TCE.

78. a) La movilización del paciente de una zona a otra dentro del hospital.

79. a) Una vez de pie, hay que indicarle que se gire de espaldas a la silla.

80. c) 1 auxiliar.

81. b) Uno a cada lado del paciente.

82. c) Se empuja por detrás siempre, excepto cuando se sale o entra en el ascensor.

83. d) Sólo son ciertas las respuestas a y b.

84. d) Por los hombros.

85. b) En la cabecera de la camilla.

86. a) De espalda.

87. b) 3 a 5 veces.

88. a) Isométricos.

89. d) Ninguna es correcta.

90. c) Repetir 3 veces cada ejercicio, 5 veces al día.

91. c) El talón.

92. a) Debe permanecer atento a todos los movimientos para evitar accidentes.

93. a) El trocánter mayor hasta el suelo.

94. a) Proporciona apoyo y seguridad.

95. c) Ninguna de las dos piernas.

96. a) Del lado no afectado.

97. a) 10 cm.

98. a) 10 cm.

99. c) Muletas de Lofstrans.

100. d) Ligeramente estirados.

101. b) Debe evitar cargar el peso en la pierna afectada.

102. c) Que apoye muleta derecha, pie izquierdo, muleta izquierda, pie derecho.

103. b) Kher.

104. d) Redon.

105. a) Puede constar de 1, 2 o 3 frascos.

106. a) De succión.

107. c) Filiforme, Penrose y corola.

108. a) Traumatismo espinal.

109. b) XIX.

110. b) La actividad.

111. d) La Asociación Americana de Terapia Ocupacional.

112. c) Aumenta la frecuencia cardiaca y respiratoria en reposo.

113. c) Administrar el tratamiento intravenoso prescrito por el médico rehabilitador.

114. d) Todas son correctas.

115. c) Alteración de la función normal de los órganos y vasodilatación.

116. a) El agua.

117. b) Electroterapia.

TEST N.º 8

La alimentación de las personas mayores: Principios de la alimentación saludable. Importancia de la alimentación en la relación social. Técnicas para facilitar la alimentación saludable. Alergia alimentaria e Intolerancia alimentaria

1. Las reacciones metabólicas básicas destinadas a la producción de energía se denominan:

a) Reacciones anabólicas.
b) Reacciones catabólicas.
c) Reacciones de oxidación.
d) Reacciones de reducción.

2. Desde el punto de vista funcional, los alimentos destinados fundamentalmente a la formación y renovación de los tejidos humanos, son llamados:

a) Alimentos energéticos.
b) Alimentos plásticos.
c) Alimentos reguladores.
d) Alimentos precipitadores.

3. Las sustancias nutritivas compuestas por minerales y vitaminas las utiliza el organismo principalmente como:

a) Alimentos energéticos.
b) Alimentos plásticos.
c) Alimentos reguladores.
d) Alimentos formadores.

4. ¿Cuál de las siguientes vitaminas no se encuentra en la leche de vaca?

a) Vitamina A.
b) Vitamina K.
c) Vitamina B1.
d) Vitamina B2.

5. ¿Cuál de los siguientes productos alimenticios se considera una leguminosa?

a) Arroz.
b) Alubias.
c) Avellanas.
d) Patata.

6. De los siguientes tipos de aceites, ¿cuál es rico es ácidos grasos monoinsaturados?

a) Aceite de maíz.
b) Aceite de girasol.
c) Aceite de soja.
d) Aceite de oliva.

7. Tomando como referencia las unidades de energía utilizadas en nutrición, ¿cuántos kilojulios son 30 kilocalorías?

a) 83,6 kilojulios.
b) 65,3 kilojulios.
c) 41,84 kilojulios.
d) 125,52 kilojulios.

8. ¿Cuántas calorías son el equivalente a 25 julios?

a) 3,50 calorías.
b) 5,97 calorías.
c) 21,25 calorías.
d) 11,95 calorías.

9. La energía que necesita el organismo para mantener sus funciones vitales en estado de absoluto reposo, la llamamos:

a) Nutrición basal.
b) Metabolismo basal.
c) Nutrición total.
d) Metabolismo total.

10. Si una paciente es intervenida quirúrgicamente y el médico le prescribe una dieta absoluta durante las primeras 48 horas, si queremos comprobar la tolerancia a la ingesta, ¿qué dieta le administraríamos?

a) Dieta posquirúrgica.
b) Dieta semiblanda.
c) Dieta blanda.
d) Dieta líquida.

11. Tomando como referencia el denominado número de Atwater para conocer el valor energético de los principios inmediatos, ¿qué valor en kilocalorías equivale a un gramo de lípidos?

a) 4 kilocalorías.
b) 7 kilocalorías.
c) 9 kilocalorías.
d) 12 kilocalorías.

12. Tomando como referencia el denominado número de Atwater para conocer el valor energético de los principios inmediatos, ¿cuál de los siguientes principios inmediatos presentan una equivalencia de 1 gramo con 4 kilocalorías?

a) Lípidos.
b) Hidratos de carbono.
c) Proteínas.
d) Las opciones b y c son correctas.

13. ¿Qué aminoácidos de los que se citan a continuación tiene el carácter de esencial?

a) Cistina.
b) Valina.
c) Arginina.
d) Alalina.

14. Los alimentos que poseen proteínas formadas por aminoácidos esenciales, reciben el nombre de:

a) Proteínas esenciales.
b) Proteínas ecológicas.
c) Proteínas de alto valor biológico.
d) Proteínas verdaderas.

15. Podemos clasificar los hidratos de carbono según su estructura química en monosacáridos, disacáridos y polisacáridos, ¿dónde incluiría la sacarosa?

a) Monosacáridos.
b) Polisacáridos.
c) Disacáridos.
d) Ninguno de los anteriores.

16. Si clasificamos los hidratos de carbono según su estructura química, el disacárido denominado maltosa está formado por moléculas de:

a) Fructosa más glucosa.
b) Glucosa más glucosa.

c) Glucosa más galactosa.
d) Glucosa más ribosa.

17. Al estudiar la estructura química del almidón vemos que es un:

a) Polisacárido.
b) Monosacárido.
c) Disacárido.
d) Sacarosa.

18. ¿Cuál de los siguientes ácidos grasos presenta cadenas totalmente saturadas de hidrógeno alcanzando la categoría de ácidos grasos saturados?

a) Palmítico.
b) Oleico.
c) Linoleico.
d) Araquidónico.

19. ¿Cuál de los siguientes ácidos grasos pertenece al grupo de los poliinsaturados?

a) Oleico.
b) Esteárico.
c) Palmítico.
d) Araquidónico.

20. ¿Qué vitamina está implicada en la aparición de anemia megaloblástica cuando no se proporciona a través de la dieta?

a) Tiamina.
b) Cianocobalamina.
c) Vitamina A.
d) Piridoxina.

21. La ausencia de la vitamina tiamina en la dieta puede provocar la aparición de:

a) Ceguera nocturna.
b) Raquitismo.
c) Beriberi.
d) Pelagra.

22. La ausencia de la vitamina niacina en la dieta puede provocar la aparición de:

a) Ceguera nocturna.
b) Raquitismo.
c) Beriberi.
d) Pelagra.

23. ¿La carencia de qué mineral provoca un déficit en el transporte de oxígeno por disminución de la hemoglobina?

a) Calcio.
b) Fósforo.
c) Sodio.
d) Hierro.

24. La técnica y el arte de utilizar los alimentos de la forma adecuada, partiendo del conocimiento profundo del organismo humano y de los alimentos, para proponer y promover formas de alimentación variada, suficiente y equilibrada, es la definición de:

a) Dieta equilibrada.
b) Dieta sana.
c) Dietética.
d) Dietoterapia.

25. Una dieta equilibrada requiere de una cantidad de agua aproximada de:

a) 1 litro de agua.
b) 2 litros de agua.
c) 3 litros de agua.
d) 4 litros de agua.

26. Si preparamos una dieta equilibrada, ¿qué porcentaje de hidratos de carbono debe llevar?

a) 30-35 %.
b) 50-60 %.
c) 12-15 %.
d) 5-7 %.

27. Si preparamos una dieta equilibrada, ¿qué porcentaje de grasas debe llevar?

a) 30-35 %.
b) 50-60 %.
c) 12-15 %.
d) 5-7 %.

28. ¿Cuál de los siguientes principios inmediatos debe estar en menor proporción en una dieta equilibrada?

a) Hidratos de carbono.
b) Lípidos.
c) Proteínas.
d) Todos los principios deben administrarse por igual.

29. Señale cuál de los siguientes factores fisiológicos no concurre en el planteamiento dietético de los ancianos:

a) Déficit en la absorción de principios inmediatos.
b) Disminución del metabolismo basal.
c) Cambios histológicos en la masa corporal.
d) Hiperfunción de la actividad enzimática.

30. Se originan cuadros de anemia y pseudodemencia cuando existe un déficit de:

a) Folatos.
b) Nitratos.
c) Calcio.
d) Magnesio.

31. ¿Qué aporte precisará un anciano que presenta trastornos del sistema nervioso?

a) Hierro.
b) Vitamina D.
c) Complejo B.
d) Proteínas.

32. La pérdida completa del olfato relacionado con el envejecimiento se denomina:

a) Hiposmia.
b) Anosmia.
c) Ageusia.
d) Disgeusia.

33. La dieta de una persona de 70 años, con un peso medio de 60 kg que realiza una actividad moderada debe ser:

a) 2000 Kcal/día para varones y 1700 Kcal/día para mujeres.
b) El 60 % de las proteínas de origen vegetal.
c) Hidratos de carbono en un 12 %-15 % del aporte calórico diario.
d) Verduras y hortalizas tres raciones diarias.

34. Señale cuál de los siguientes fármacos puede estar implicado en la disgeusia:

a) Neuroléptico.
b) Digoxina.
c) Corticoide.
d) Litio.

35. En muchos ancianos hay un déficit en la absorción de hierro, vitamina B12 y calcio, debido a:

a) Disminución del mucus estomacal.
b) Disminución de metabolismo basal.
c) Pérdida regenerativa de la mucosa intestinal.
d) Pérdida de la actividad física.

36. En el planteamiento de la dieta para ancianos, la última comida del día:

a) Contendrá el 60 % de proteínas de origen animal.
b) Será de carácter frutal.
c) Consistirá en pescado dos veces por semana.
d) Proporcionará un mínimo de grasas.

37. Señale en que caso el tratamiento dietético especial para un anciano de elección será una dieta hiperproteica:

a) Proceso febril.
b) Insuficiencia cardiaca.
c) Desorden intestinal.
d) Síndrome nefrótico.

38. Las personas que van a ser operadas o en el post-operatorio inmediato deben seguir una dieta:

a) Hídrica.
b) Blanda.
c) Absoluta.
d) Semisólida.

39. Señale cuál de las siguientes patologías no requiere una dieta hiposódica:

a) Hipertensión arterial.
b) Trastorno gastrointestinal.
c) Insuficiencia renal.
d) Enfermedad cardiaca.

40. Una dieta pobre en leche, cacao, chocolate, nueces y vísceras animales será recomendable para pacientes:

a) Con tendencia al sobrepeso.
b) Con tendencia a hacer cálculos de las vías urinarias.
c) Diabéticos.
d) Úlcera péptica.

41. Indique cuál de las siguientes patologías no requiere la reducción de grasas saturadas:

a) Ateroesclerosis.
b) Enfermedad coronaria.
c) Anorexia.
d) Infarto de miocardio.

42. Los pacientes de ateroesclerosis necesitan una dieta:

a) Hipercalórica.
b) Que no reduzca el contenido graso por debajo del 35 % .
c) Hiperprotéica.
d) Blanda.

43. Una dieta hipercalórica, hiperprotéica, alta en vitaminas y minerales, blanda y de escasos residuos es aconsejable en el caso de pacientes con:

a) Colitis ulcerosa.
b) Estreñimiento.
c) Colon irritable.
d) Hipertensión arterial.

44. En qué caso se aconseja descartar una alergia alimentaria. Pacientes con:

a) Colitis ulcerosa.
b) Colon irritable.
c) Úlcera péptica.
d) Gastroenteritis.

45. Un paciente con úlcera péptica debe ser alimentado cada dos horas a base de cremas y papillas excepto cuando:

a) Se encuentra en la fase dolorosa.
b) El enfermo tenga grandes necesidades nutricionales.
c) No exista espasmo pilórico.
d) El episodio de agudización curse con fiebre.

46. En algunas formas de hiperlipoproteinemias está indicada una dieta:

a) Baja en grasas y colesterol.
b) Baja en calcio y fósforo.
c) Baja en hidratos de carbono.
d) Baja en residuos.

47. Los pacientes con enfermedades renales y hepáticas deben seguir una dieta:

a) Hipersódica.
b) Hipoprotéica.
c) Hipoglucémica.
d) Todas son correctas.

48. Las dietas terapéuticas según los alimentos permitidos o prohibidos pueden ser (señale la incorrecta):

a) Hipercalórica.
b) Hiperprotéica.
c) Hiposódica.
d) Hipoglucémica.

49. Podemos definir la nutrición enteral como:

a) La administración de fórmulas enterales por vía digestiva.
b) La administración de nutrientes por vía parenteral.
c) La administración de nutrientes a un paciente con problemas nutricionales.
d) La administración de suero por medio de una sonda nasogástrica.

50. La nutrición enteral nos sirve para mantener niveles adecuados de nutrición en pacientes que no pueden realizar una nutrición normal, está indicada en pacientes que:

a) Presentan alteraciones dentales importantes.
b) Presentan malformaciones en el colon.
c) Presentan afectación esofágica.
d) Presentan alteraciones gastrointestinales importantes.

51. Definimos la gastrostomía como el procedimiento a través del cual se abre una comunicación entre el estómago y el exterior a través de un tubo, que suele ser una sonda de:

a) Foley.
b) Maller.
c) Milton.
d) Futcher.

52. Definimos la gastrostomía como el procedimiento a través del cual se abre una comunicación entre el estómago y el exterior a través de un tubo, para realizar la alimentación deberemos tener en cuenta que:

a) La nutrición deberá estar a 37 ºC.
b) El paciente deberá estar en posición supina.
c) Deberemos limpiar el tubo tras la alimentación.
d) Deberemos dejar la sonda abierta para evitar la formación de gases.

53. Las complicaciones de la nutrición enteral van a variar dependiendo de la vía que se utilice, así los problemas de carácter digestivo que pueden surgir en la alimentación son:

a) Trastornos electrolíticos.
b) Diarreas.
c) Broncoaspiración.
d) Infecciones.

54. La broncoaspiración es una de las complicaciones que pueden surgir en la alimentación enteral, los cuidados de enfermería dirigidos a evitar esta complicación son:

a) Colocar una sonda apropiada al tipo de alimentación administrado.
b) Limpieza de la sonda con agua cada vez que se inicie y se termine la nutrición.
c) Colocar al paciente en posición de Fowler durante la ingesta y una hora después de la misma.
d) Colocar una sonda de 3 vías siempre que sea posible.

55. Una de las formas de nutrir a los pacientes con problemas es la nutrición parenteral, que consiste en:

a) Administrar los nutrientes que el paciente necesite.
b) Administrar fórmulas dietéticas por vía intravenosa para mantener la síntesis de proteínas.
c) Introducir complejos dietéticos directamente en el estómago para compensar las pérdidas nutricionales del paciente.
d) Todas son falsas.

56. Una de las formas de nutrir a los pacientes con problemas es la nutrición parenteral, sus principales complicaciones pueden ser de varios tipos, entre las complicaciones metabólicas que pueden aparecer encontramos:

a) Exceso de nitrógeno.
b) Infección.
c) Neumotórax.
d) Flebitis.

57. Una de las formas de nutrir a los pacientes con problemas es la nutrición parenteral; este tipo de alimentación está indicado en:

a) Grandes quemados.
b) Cirugía abdominal.
c) Pacientes con efectos secundarios a la radioterapia.
d) Todas son ciertas.

58. Las soluciones de la nutrición parenteral necesitan una manipulación con la máxima asepsia, deberemos conservarla en el frigorífico, aunque al administrarla deberá a estar a una temperatura de:

a) 25 ºC.
b) 30 ºC
c) 35 ºC.
d) Ambiente.

59. La nutrición parenteral debe ser preparada con la máxima asepsia y bajo campana de flujo laminar. Además deberemos tener en cuenta:

a) Una vez introducida toda la mezcla en la bolsa hay que colocarla en posición vertical y con una aguja y jeringa insertar una burbuja de aire en la parte superior.
b) La alimentación parenteral se hace con bomba de infusión continua.
c) No se deben poner los datos de identificación del paciente para preservar su intimidad, aunque sí la composición de su contenido rotulando los tubos.
d) La mezcla preparada debe utilizarse en las 72 horas siguientes a su preparación.

60. ¿Qué es una reacción adversa a los alimentos?

a) La respuesta anormal del organismo tras la ingestión de un alimento.
b) Una reacción desencadenada por un compuesto tóxico.
c) Reacción de hipersensibilidad a compuestos inorgánicos.
d) Este concepto es equivalente al de alergia alimentaria.

61. ¿Qué tipo de reacción es la que se produce debida a micotoxinas?

a) Hipersensibilidad.
b) Reacción adversa debida a compuestos químicos.
c) Reacción adversa debida a tóxicos.
d) Ninguna respuesta es correcta.

62. ¿Qué es una hipersensibilidad a los alimentos?

a) La reacción adversa por sustancias no tóxicas que depende de la susceptibilidad de cada persona a un alimento.
b) Una reacción adversa generalizada por el consumo de alimentos.
c) Respuesta al consumo de venenos.
d) Ninguna respuesta es correcta.

63. ¿Cuál no es una reacción adversa a los alimentos no tóxicos?

a) Alergia.
b) Intolerancia.
c) Toxiinfección.
d) Todas las respuestas son correctas.

64. ¿Cómo se denominan las proteínas que provocan una respuesta inmunitaria que se da en al menos un 50% de los pacientes sensibles?

a) Alérgenos mayores.
b) Alérgenos menores.
c) Alergias.
d) Antígenos.

65. ¿En qué caso se origina una alergia alimentaria?

a) Cuando el alérgeno presente en el alimento desencadena una reacción inmunitaria en el organismo.
b) Cuando el alérgeno presente en el alimento desencadena una reacción no inmunitaria en el organismo.
c) Cuando el alérgeno alimentario no provoca ninguna reacción.
d) Ninguna respuesta es correcta.

66. ¿Qué es la reactividad cruzada?

a) Implica la aparición de síntomas sin que haya existido contacto previo con el alérgeno específico.
b) Ocurre cuando una persona toma un alimento que contiene alérgenos de gran similitud a otro al que ha estado expuesto.
c) Ocurre al ingerir otro alimento diferente pero con un alérgeno similar.
d) Todas las respuestas son correctas.

67. ¿Qué proteínas son alérgenos de la leche?

a) Lactoalbúmina.
b) Seroalbúmina.
c) Caseína.
d) Todas las respuestas son correctas.

68. ¿Qué parte del huevo contiene proteínas que actúan como alérgenos?

a) Sólo la yema.
b) Sólo la clara.
c) La cáscara.
d) Son correctas las respuestas a y b.

69. ¿Qué parte del huevo es más alérgeno?

a) Clara.
b) Yema.
c) Cáscara.
d) Todas las partes por igual.

70. ¿Qué alérgeno no está presente en el pescado?

a) Anisakis.
b) Proteína del pescado.
c) Proteína ovomucoide.
d) Proteína del músculo del pescado.

71. ¿Cuál de estas especies puede estar infestada por anisakis?

a) Pescadilla.
b) Bacalao.
c) Pulpo.
d) Cualquiera de las anteriores.

72. ¿Diga qué es falso sobre el marisco?

a) Son frecuentes las reacciones alérgicas a los mariscos.
b) Los alérgenos son diversas proteínas específicas de cada marisco.
c) Los alérgenos del marisco se transfieren al agua de cocción.
d) No se da reactividad cruzada.

73. Indique la respuesta correcta sobre la soja:

a) La respuesta alérgica no se produce por vía inhalatoria.
b) Se han descrito reacciones cruzadas con los cacahuetes.
c) Algunos de los alimentos en los que puede estar presente son la comida asiática y la harina de trigo.
d) Se han descrito reacciones cruzadas con las verduras.

74. ¿Con qué disminuye la alergenicidad del altramuz?

a) Con tratamientos a bajas temperaturas.
b) Con tratamientos a altas temperaturas.
c) Con aditivos.
d) No se puede reducir su alergenicidad.

75. ¿Qué enfermedad es el asma del panadero?

a) Alergia alimentaria al pescado.
b) Reacción adversa al gluten.
c) Alergia alimentaria por cereales.
d) Enfermedad autoinmune.

76. ¿Con qué otro alimento puede dar reacción cruzada la mostaza?

a) Guisante.
b) Huevo.

c) Pescado.
d) Trigo.

77. ¿Cuál de estos es un tipo de reacción alérgica?

a) Mediada por Ig A.
b) Mediada por Ig G.
c) Mediada por Ig E.
d) Mediada por Ig M.

78. ¿Cuáles son síntomas frecuentes de la alergia?

a) Urticaria.
b) Nauseas.
c) Tos irritativa.
d) Todas las respuestas son correctas.

79. ¿Qué mecanismos pueden producir una intolerancia alimentaria?

a) Enzimáticos.
b) Farmacológicos.
c) Sustancias presentes en el alimento que resultan perjudiciales.
d) Todos los anteriores.

80. ¿Qué es la enfermedad celíaca?

a) Intolerancia al gluten.
b) Intolerancia a las proteínas en general.
c) Enfermedad autoinmune.
d) Ninguna respuesta es correcta.

81. ¿Qué información alimentaria es obligatoria en la etiqueta?

a) Cantidad neta del alimento.
b) Fecha de duración.
c) Presencia de alérgenos y efectos para la salud.
d) Todas las respuestas son correctas.

82. ¿Cuántos alérgenos especifica la Unión Europea?

a) 12.
b) 13.
c) 14.
d) 15.

83. ¿Cuál de las siguientes declaraciones sobre el gluten se aceptan en los alimentos comercializados?

a) "Sin gluten" cuando un alimento que contiene trigo, cebada, centeno, avena o sus variedades híbridas, no contenga más de 100 mg/kg de gluten en el alimento tal y como se vende al consumidor final.

b) "Inadecuado para celíacos".

c) "Muy bajo en gluten".

d) Cuando un producto sin gluten o bajo en gluten contiene avena no se debe especificar nada.

Solución al test n.º 8

1. b) Reacciones catabólicas.

2. b) Alimentos plásticos.

3. c) Alimentos reguladores.

4. b) Vitamina K.

5. b) Alubias.

6. d) Aceite de oliva.

7. d) 125,52 kilojulios.

8. b) 5,97 calorías.

9. b) Metabolismo basal.

10. d) Dieta líquida.

11. c) 9 kilocalorías.

12. d) Las opciones b y c son correctas.

13. b) Valina.

14. c) Proteínas de alto valor biológico.

15. c) Disacáridos.

16. b) Glucosa más glucosa.

17. a) Polisacárido.

18. a) Palmítico.

19. d) Araquidónico.

20. b) Cianocobalamina.

21. c) Beriberi.

22. d) Pelagra.

23. d) Hierro.

24. c) Dietética.

25. a) 1 litro de agua.

26. b) 50-60 %.

27. a) 30-35 %.

28. c) Proteínas.

29. d) Hiperfunción de la actividad enzimática.

30. a) Folatos.

31. c) Complejo B.

32. b) Anosmia.

33. a) 2000 kcal/día para varones y 1700 kcal/día para mujeres.

34. b) Digoxina.

35. c) Pérdida regenerativa de la mucosa intestinal.

36. b) Será de carácter frutal.

37. d) Síndrome nefrótico.

38. c) Absoluta.

39. b) Trastorno gastrointestinal.

40. b) Con tendencia a hacer cálculos de las vías urinarias.

41. c) Anorexia.

42. b) Que no reduzca el contenido graso por debajo del 35%.

43. a) Colitis ulcerosa.

44. b) Colon irritable.

45. c) No exista espasmo pilórico.

46. a) Baja en grasas y colesterol.

47. b) Hipoprotéica.

48. a) Hipercalórica.

49. a) La administración de fórmulas enterales por vía digestiva.

50. c) Presentan afectación esofágica.

51. a) Foley.

52. c) Deberemos limpiar el tubo tras la alimentación.

53. b) Diarreas.

54. c) Colocar al paciente en posición de Fowler durante la ingesta y una hora después de la misma.

55. b) Administrar fórmulas dietéticas por vía intravenosa para mantener la síntesis de proteínas.

56. a) Exceso de nitrógeno.

57. d) Todas son ciertas.

58. d) Ambiente.

59. b) La alimentación parenteral se hace con bomba de infusión continua.

60. a) La respuesta anormal del organismo tras la ingestión de un alimento.

61. c) Reacción adversa debida a tóxicos.

62. a) La reacción adversa por sustancias no tóxicas que depende de la susceptibilidad de cada persona a un alimento.

63. c) Toxiinfección.

64. a) Alérgenos mayores.

65. a) Cuando el alérgeno presente en el alimento desencadena una reacción inmunitaria en el organismo.

66. d) Todas las respuestas son correctas.

67. d) Todas las respuestas son correctas.

68. d) Son correctas las respuestas a y b.

69. a) Clara.

70. c) Proteína ovomucoide.

71. d) Cualquiera de las anteriores.

72. d) No se da reactividad cruzada.

73. b) Se han descrito reacciones cruzadas con los cacahuetes.

74. b) Con tratamientos a altas temperaturas.

75. c) Alergia alimentaria por cereales.

76. a) Guisante.

77. c) Mediada por Ig E.

78. d) Todas las respuestas son correctas.

79. d) Todos los anteriores.

80. a) Intolerancia al gluten.

81. d) Todas las respuestas son correctas.

82. c) 14.

83. c) "Muy bajo en gluten".

TEST N.º 9

Introducción a la higiene sanitaria: Higiene alimentaria y Manipuladores de alimentos: definiciones. Los peligros físicos, químicos y biológicos en relación con los alimentos. Riesgos asociados y medidas preventivas

1. Todo manipulador de alimentos debe respetar las siguientes normas de higiene:

a) Lavado de manos con agua caliente y jabón.
b) Fumar, toser o estornudar sobre el alimento.
c) Usar mascarilla exclusivamente para la manipulación de productos que se consumirán en crudo.
d) Todas son correctas.

2. ¿Qué hará el manipulador de alimentos si está afectado por un proceso diarreico?

a) No presentarse a trabajar.
b) No realizará ningún tipo de trabajo de manipulación, independientemente de la gravedad de la infección.
c) Informará con la finalidad de que se valore la necesidad de someterse a examen médico, y, en caso necesario, su exclusión temporal de la manipulación de productos alimenticios.
d) Continuará con su tarea normal, ya que no influye en su trabajo.

3. ¿Quién impartirá la formación a los manipuladores de alimentos?

a) La propia empresa o una entidad autorizada por la autoridad sanitaria competente.
b) La propia empresa siempre.
c) La autoridad competente.
d) Una empresa auditora.

4. Garantizarán que los manipuladores de alimentos dispongan de una formación adecuada en higiene de los alimentos de acuerdo con su actividad laboral:

a) Las empresas del sector alimentario.
b) La Comunidad Autónoma respectiva.
c) La autoridad sanitaria competente.
d) Las opciones a y b son correctas.

5. ¿Qué es el sistema APPCC?

a) Un instrumento para ayudar a logra niveles elevados de seguridad alimentaria.
b) Un sistema de control de personal.
c) Un método para definir los procesos de producción.
d) Una guía de buenas prácticas.

6. Señala la afirmación incorrecta. Los manipuladores de alimentos deberán:

a) Cumplir las normas de higiene en cuanto a actitudes, hábitos y comportamiento.
b) Mantener un grado elevado de aseo personal, llevar una vestimenta limpia y de uso exclusivo y utilizar, cuando proceda, ropa protectora cubrecabeza y calzado adecuado.
c) Cubrirse los cortes y las heridas con vendajes impermeables apropiados.
d) Lavarse las manos con agua fría y jabón, sin desinfectante.

7. Señala cuál de las siguientes actividades puede realizar el manipulador de alimentos durante el ejercicio de la actividad:

a) Fumar.
b) Masticar chicle.
c) Comer en el puesto de trabajo.
d) Ninguna de las opciones anteriores es correcta.

8. ¿Cuál es la definición correcta de Higiene Alimentaria, según la Organización Mundial de la Salud?

a) El conjunto de medidas necesarias para asegurar la salubridad de un producto.
b) El conjunto de medidas necesarias para asegurar la inocuidad de un producto.
c) El conjunto de medidas necesarias para asegurar el buen estado de los productos.
d) El conjunto de medidas necesarias para asegurar la salubridad, inocuidad y buen estado de los productos destinados a la alimentación, en todas las etapas de su preparación.

9. ¿En qué etapa del proceso hay riesgo de contaminación del alimento?

a) En la cocción.
b) En el envasado.
c) En la preparación en crudo.
d) En todas las etapas.

10. ¿En cuál de estos casos hay mayor riesgo de intoxicación?

a) Cuando no hay modificación en las características organolépticas del alimento.
b) Cuando el alimento tiene aspecto desagradable.
c) Cuando hay un ennegrecimiento de la piel.
d) Cuando el sabor del alimento es picante.

11. ¿Qué se entiende por productos primarios?

a) Los productos de producción primaria, incluidos los de la tierra, ganadería, caza y pesca.
b) Los productos de producción agrícola exclusivamente.
c) Todos los productos de elaboración básica.
d) Los productos precocinados.

12. Para garantizar la protección de los productos primarios contra focos de contaminación, ¿qué medida/s higiénica/s tendrá en cuenta la empresa alimentaria?

a) Mantendrán limpias las instalaciones, equipos, contenedores y vehículos.
b) Evitarán la contaminación por plagas u otros animales, residuos y sustancias peligrosas.
c) Vigilarán el buen estado de salud de los manipuladores, y se asegurarán de que reciben la formación necesaria sobre riesgos sanitarios.
d) Todas las respuestas son correctas.

13. ¿Qué requisitos exige el Reglamento 852/2004 del Parlamento Europeo, para los locales destinados a los productos alimenticios?

a) Habrá ventilación artificial para evitar tener que hacer control de temperatura.
b) Se evitarán las corrientes de aire desde zonas contaminadas a zonas limpias.
c) Dispondrán siempre de buena iluminación natural.
d) Todas las respuestas son correctas.

14. ¿Qué características tendrán las superficies donde se manipulen alimentos?

a) Serán de materiales porosos con fácil absorción.
b) Las superficies serán rugosas para evitar el deslizamiento de los materiales durante la manipulación.
c) Serán de materiales lisos, lavables, resistentes a la corrosión y no tóxicos.
d) No hay requisitos sobre las características de los materiales que entren en contacto con los alimentos, tan solo se deberán mantener limpios.

15. Los contenedores utilizados para transporte de productos alimenticios, ¿podrán transportar algo que no sean productos alimenticios?

a) No, nunca.
b) Sí, siempre que exista una separación efectiva de los productos para evitar contaminación.
c) Sí. No tienen por qué ser exclusivos para productos alimenticios.
d) Cada producto debe ir obligatoriamente en un contenedor, aunque podrá ser transportado en el mismo vehículo.

16. El Reglamento 852/2004 establece las disposiciones aplicables a los productos alimenticios. Indique cuál de las siguientes es falsa:

a) Las materias primas e ingredientes se almacenarán en condiciones adecuadas, que permitan evitar su deterioro y protegerlos de la contaminación.
b) Las materias primas o productos no deberán conservarse a temperaturas que puedan dar lugar a riesgos para la salud.
c) Cuando un operador de empresa alimentaria prevea razonablemente que una materia prima pueda estar contaminada, la someterá a cocción prolongada para eliminar los microorganismos.
d) La descongelación se hará de modo que se reduzca al mínimo el riesgo de multiplicación de microorganismos patógenos o la formación de toxinas.

17. ¿Qué objetivos tiene la formación de los manipuladores de alimentos?

a) Actualizar los cambios normativos y tecnológicos.
b) Mejorar los hábitos de los manipuladores y promover las prácticas correctas.
c) Responder a las exigencias de la normativa vigente.
d) Todas las respuestas son correctas.

18. Según el Reglamento (CE) 852/2004 del Parlamento Europeo y del Consejo, de 29 de abril, los operadores de empresa alimentaria deberán garantizar:

a) La supervisión, instrucción y formación de los manipuladores de alimentos en cuestiones de higiene alimentaria.
b) La vigencia de la normativa en materia de higiene alimentaria.
c) La formación de los inspectores de la autoridad competente en materia de higiene alimentaria.
d) Todas las respuestas son falsas.

19. ¿Quién puede impartir la formación de los manipuladores de alimentos?

a) La propia empresa alimentaria, si está capacitada para ello.
b) Empresas o entidades no dedicadas a la formación.
c) Centros o escuelas de formación profesional o educacional reconocidos o no por organismos oficiales.
d) Todas las respuestas son correctas.

20. ¿Qué obligación tiene la empresa alimentaria con la autoridad competente?

a) Deberá cooperar y notificar todos los establecimientos que estén bajo su control con el fin de proceder a su registro.
b) Enviará informe diario pormenorizado sobre la actividad de la empresa.
c) Registrará la contabilidad mensual.
d) La normativa vigente no establece obligaciones con la autoridad competente.

21. El Reglamento (CE) 882/2004 del Parlamento Europeo y del Consejo, de 29 de abril, da la siguiente definición de «control oficial»:

a) Toda forma de control que efectúe la empresa para valorar el cumplimiento de los criterios de calidad establecidos.

b) Toda forma de control que efectúe la autoridad competente o la Comunidad para verificar el cumplimiento de la legislación sobre piensos y alimentos, así como las normas relativas a la salud animal y el bienestar de los animales.

c) Análisis y pruebas de verificación de las condiciones higiénicas del plato testigo.

d) Registro de documentación relativa al sistema APPCC.

22. ¿Qué finalidad tiene el Catálogo Nacional de Cualificaciones Profesionales?

a) Establecer la norma que regula cada una de las profesiones.

b) Definir los contenidos de las diferentes titulaciones universitarias.

c) Ordena las cualificaciones profesionales susceptibles de reconocimiento y acreditación, identificadas en el sistema productivo en función de las competencias apropiadas para el ejercicio profesional.

d) Dividir las profesiones en grupos familiares y módulos en función de los niveles salariales.

23. ¿Cómo se acredita la realización de actividades formativas?

a) Mediante la concesión de un boletín informativo.

b) A través de la expedición de certificado individual.

c) Realizando exámenes periódicos que demuestren que se mantienen actualizados los conocimientos adquiridos.

d) La formación continuada no se acredita.

24. ¿Pará qué se realizan los exámenes médicos?

a) Para determinar el estado de salud de un individuo.

b) Para prevenir la transmisión de enfermedades.

c) Para identificar individuos enfermos, pero no portadores sanos.

d) Ninguna respuesta es correcta.

25. ¿Qué norma establece las infracciones en materia de seguridad alimentaria y las sanciones correspondientes?

a) El Reglamento 852/2004 del Parlamento Europeo y del Consejo, de 29 de abril, relativo a la higiene de los productos alimenticios.

b) La Ley 17/2009, de 23 de noviembre.

c) El Real Decreto 202/2000, de 11 de febrero, por el que se establecen las normas relativas a los manipuladores de alimentos.

d) La Ley 17/2011, de 5 de julio, de seguridad alimentaria y nutrición.

26. ¿Qué obligación tiene el manipulador de alimentos respecto a su indumentaria?

a) Ropa e indumentaria de color claro.
b) Calzado impermeable.
c) Cubrecabezas y/o redecilla en su caso.
d) Todo ello, que además será debe ser exclusivo para su puesto de trabajo.

27. ¿En qué fase del proceso de manipulación de alimentos está prohibido mascar chicle?

a) Durante el envasado o emplatado.
b) Cuando el alimento va a ser consumido en crudo, sin cocción previa.
c) Está prohibido en todas las fases del proceso.
d) Está prohibido comer, no masticar chicle.

28. ¿Cuál es la normativa vigente en materia de formación de manipuladores de alimentos?

a) Real Decreto 202/2000, de 11 de febrero.
b) Reglamento (CE) n.º 852/2004 del Parlamento Europeo y del Consejo, de 29 de abril.
c) Real Decreto 109/2010, de 5 de febrero.
d) Ley 17/2009, de 23 de noviembre.

29. ¿Qué puede hacer una empresa alimentaria para cerciorarse de que se cumplen las normas de higiene establecidas en el Reglamento 852/2004?

a) Tener definido su sistema APPCC para garantizar la aplicación de prácticas de higiene correctas.
b) Elaboración de guías de prácticas correctas.
c) Mantener la cadena del frío en los alimentos congelados.
d) Todas las respuestas son correctas.

30. ¿Qué medidas tomarán los operadores de empresa alimentaria de producción primaria para garantizar que los productos primarios están protegidos de cualquier contaminación?

a) Medidas de control de la contaminación.
b) Medidas zoosanitarias.
c) Medidas fitosanitarias.
d) Todas las respuestas son correctas.

31. ¿Qué registros tendrá la empresa alimentaria sobre los productos de origen animal?

a) Utilización de productos fitosanitarios y biocidas.
b) Aparición de plagas y enfermedades en las plantas.

c) Medicamentos veterinarios y otros tratamientos.
d) Todas las respuestas son correctas.

32. ¿Qué requisitos se establecen respecto a la temperatura de los locales donde se manipulan alimentos?

a) La manipulación y almacenamiento se harán a temperatura adecuada, que se podrá comprobar y registrar.
b) La temperatura se mantendrá constante durante todo el proceso de manipulación.
c) Será siempre de 20 ºC, para comodidad del trabajador.
d) La normativa no hace referencia a la temperatura salvo para productos conservados por frío.

33. Respecto a la disposición, diseño, construcción, emplazamiento y tamaño, de los locales donde se manipulen alimentos, ¿qué establece la normativa?

a) Permitirá su limpieza y desinfección, y evitará la acumulación de suciedad.
b) Dispondrá de espacio suficiente para trabajar de forma higiénica.
c) Reducirá la contaminación por aire.
d) Todas las respuestas son correctas.

34. El Reglamento 852/2004 establece los requisitos específicos de las salas donde se manipulan alimentos. ¿Qué excepción hay?

a) Salas donde se preparan alimentos.
b) Salas donde se consumen alimentos.
c) Salas donde se tratan alimentos.
d) Salas donde se transforman alimentos.

35. ¿Qué características tendrán los fregaderos?

a) Tendrán suministro de agua potable.
b) Serán fáciles de limpiar y desinfectar.
c) Estarán hechos de material liso y resistente a la corrosión.
d) Todas las respuestas son correctas.

36. ¿Establece la normativa vigente algún requisito higiénico para los equipos de cocina?

a) No, no hay requisitos específicos sobre higiene.
b) Obliga a que lleven dispositivos de control en todo caso.
c) Cuando estén en contacto con los alimentos deberán limpiarse y desinfectarse con frecuencia.
d) Diariamente deberán desmontarse para su limpieza.

37. ¿Qué dice el Reglamento 852/2004 sobre los contenedores de desperdicios de productos alimenticios?

a) Estarán provistos de cierre y se mantendrán limpios.
b) Tendrán una capacidad de 10 metros cúbicos.
c) Serán de color negro.
d) Todas las respuestas son correctas.

38. ¿Se puede utilizar agua corriente para el vapor que entra en contacto con los alimentos?

a) Sí, siempre que no contenga ninguna sustancia que entrañe peligro para la salud o pueda contaminar el producto.
b) No nunca.
c) Sólo si el agua es no potable.
d) El Reglamento 852/2004 no habla de este aspecto.

39. ¿Qué es falso sobre los requisitos que establece el Reglamento para la conservación de los productos alimenticios?

a) No se interrumpirá la cadena del frío.
b) La refrigeración del producto que se vaya a conservar a bajas temperaturas, se hará cuanto antes.
c) Las temperaturas de conservación podrán dar lugar a riesgos para la salud.
d) Las sustancias peligrosas o no comestibles se almacenarán en recipientes separados.

40. ¿Qué objetivo tienen las auditorías, según la Ley de seguridad alimentaria y nutrición?

a) Asegurarse de que se cumplen los objetivos previstos en el Plan Nacional de Control Oficial de la Cadena Alimentaria.
b) Verificar si se aplican de forma efectiva y adecuada los controles oficiales sobre el cumplimiento de planes de control y la formación del personal, entre otros.
c) a y b son correctas.
d) Todas las respuestas son falsas.

41. Todo agente físico, químico o biológico presente en un alimento, o toda condición física, química o biológica de un alimento que pueda causar un efecto perjudicial para la salud, se denomina:

a) Comunicación del riesgo.
b) Factor de peligro.
c) Evaluación del riesgo.
d) Gestión del riesgo.

42. ¿Qué es un factor de peligro físico de un alimento?

a) Un agente extraño que se encuentran de manera accidental en un alimento.
b) Se trata de objetos, que no deberían formar parte del producto alimenticio.
c) Es cualquier material, que no debe estar presente en el alimento.
d) Todas son correctas.

43. ¿Cuál de los siguientes no es un factor de peligro en un alimento?

a) Insectos.
b) Pelo.
c) Huesos.
d) Azucar.

44. ¿Cuál puede ser una consecuencia de encontrar un objeto en la comida?

a) Rotura de piezas dentales.
b) Cortes o pinchazos en la boca.
c) Problemas digestivos.
d) Todas son correctas.

45. ¿Que reglamento establece y regula el contenido máximo de determinados contaminantes en los productos alimenticios?

a) Real Decreto 109/2010, de 5 de febrero, de manipulación de alimentos.
b) Ley 14/1986, de 25 de abril, General de Sanidad.
c) El Reglamento (CE) n.º 1881/2006 de la Comisión de 19 de diciembre de 2006.
d) Real Decreto 1413/1994, de 25 de junio, por el que se aprueban las normas Técnico-Sanitarias.

46. Los contaminantes químicos más habituales en los alimentos son:

a) Micotoxinas.
b) Azucares elevados.
c) Grasas de mala calidad.
d) Objetos extraños.

47. Las Aflatoxinas (*Aspergillus flavus y Aspergillus parasiticus*):

a) Son micotoxinas producidas por hongos del género Aspergillus.
b) Son un grupo de toxinas producidas por hongos del género Fusarium,.
c) Se encuentra con frecuencia en derivados de la manzana, como los zumos y la sidra.
d) Es una micotoxina producida por varias especies de hongos en el arroz, y que tiene efectos nefrotóxicos.

48. Las micotoxinas presentes en los alimentos pueden afectar la salud de las personas produciendo:

a) Cáncer y mutaciones.
b) Problemas gastrointestinales.
c) Problemas renales.
d) Todas son correctas.

49. ¿Cuales son las principales toxinas de origen natural?

a) Los alcaloides.
b) Metales pesados.
c) Nitratos.
d) Acrilamidas.

50. El etilcarbamato:

a) Es un compuesto que se forma en los alimentos al ser tratados con calor.
b) Llega a los alimentos desde los materiales que entran en contacto con el mismo, o como resultado del uso de productos químicos fitosanitarios o veterinarios.
c) Se produce de manera natural en alimentos y bebidas fermentadas, especialmente las alcohólicas.
d) Es una sustancia química que se aplica en los cultivos para protegerlos de las plagas.

51. ¿Con que finalidad se añaden materiales activos e inteligentes a los alimentos?

a) Aromatizar y mejorar el aspecto del alimento.
b) Prolongar su vida útil, mantenerlo o mejorar el estado de los alimentos envasados.
c) Para garantizar la protección de la salud del consumidor.
d) Todas son correctas.

52. Los aromas alimentarios

a) Se utilizan para modificar el aroma y textura del alimento.
b) Se utilizan para modificar el olor y el sabor del alimento.
c) Se utilizan para modificar el olor y el color del alimento.
d) Se utilizan para modificar el olor y la textura del alimento.

53. Las enzimas alimentarias:

a) Son proteínas con función catalizadora.
b) Son proteínas con función anabólica.
c) Son hidratos de carbono de cadena larga.
d) Son lípidos con función regeneradora.

54. Los disolventes de extracción:

a) Son sustancias capaces de disolver un producto alimenticio o alguno de sus componentes, y después ser eliminado.
b) Son sustancias que se utilizan en procesos como la eliminación de sustancias aromáticas de las plantas.
c) Para que su uso sea autorizado estos disolventes han de ser evaluados por la Autoridad Alimentaria.
d) Todas son correctas.

55. ¿Cuál es la definición de "higiene alimentaria" según la Organización Mundial de la Salud?

a) El conjunto de medidas necesarias para asegurar la salubridad de los productos destinados a la alimentación.
b) El conjunto de medidas necesarias para asegurar el buen estado de los productos destinados a la alimentación.
c) El conjunto de medidas necesarias para asegurar la salubridad, inocuidad y buen estado de los productos destinados a la alimentación, en todas las etapas de su producción.
d) El conjunto de medidas necesarias para asegurar la salubridad, inocuidad y legalidad del distribuidor de los productos destinados a la alimentación, en todas las etapas de su producción.

56. ¿Qué puede ocurrir cuando el alimento es contaminado por microorganismos y tiene cambios en sus características organolépticas?

a) Probablemente sea rechazado antes de su consumo.
b) Hay mayor riesgo.
c) La contaminación es más grave.
d) Es salmonelosis.

57. ¿Cómo se denominan las enfermedades alimentarias debidas a la toxina de un microorganismo?

a) Infecciones alimentarias.
b) Intoxicaciones alimentarias.
c) Toxiinfecciones alimentarias.
d) Enfermedades metabólicas.

58. ¿En qué caso es más elevada la aparición de toxiinfecciones alimentarias?

a) Paisas desarrollados.
b) Invierno.
c) Verano.
d) No hay variaciones.

59. ¿Quién tiene mayor riesgo de padecer los síntomas de una toxiinfección alimentaria?

a) Ancianos.
b) Adultos sanos.
c) Mujeres.
d) Todos estos colectivos de población tienen el mismo riesgo.

60. ¿Qué modificaciones físicas pueden sufrir los alimentos como consecuencia de alteraciones provocadas por microorganismos?

a) En la consistencia.
b) En la composición.
c) En la acidez.
d) En la formación de gases.

61. ¿Qué tipo de alimento es el arroz?

a) Perecedero.
b) Semiperecedero.
c) No perecedero.
d) Inestable.

62. Cuando se consume carne de ave que está infectada por campilobacter, ¿qué tipo de transmisión se ha dado?

a) Directa.
b) Indirecta.
c) Cruzada.
d) Horizontal.

63. Cuando un alimento se contamina durante el almacenamiento por la presencia de ratas, ¿qué tipo de transmisión ha habido?

a) Directa.
b) Indirecta.
c) Cruzada.
d) Horizontal.

64. Cuando un manipulador transmite los microorganismos de los que es portador, ¿qué tipo de transmisión se produce?

a) Directa.
b) Indirecta.
c) Cruzada.
d) Son correctas las respuestas b y c.

65. ¿Qué condiciones favorecen el desarrollo de microorganismos en el alimento?

a) Composición del alimento.
b) Contenido en agua.
c) Temperatura.
d) Todas estas condiciones influyen.

66. ¿A qué temperatura mueren la mayoría de los microorganismos?

a) A -18 ºC.
b) A 50 ºC.
c) A 65 ºC.
d) A 100 ºC.

67. ¿Por qué sobre el limón no crecen muchos microorganismos?

a) Por su acidez.
b) Por su escaso contenido en agua.
c) Por la falta de nutrientes.
d) Por la temperatura de conservación.

68. ¿En qué alimentos es más fácil la contaminación bacteriana?

a) Aceite.
b) Azúcar.
c) Leche.
d) Harina.

69. ¿Qué son las bacterias anaerobias?

a) Las que necesitan oxígeno para vivir.
b) Las que viven en ausencia de oxígeno.
c) Las que permanecen latentes en condiciones adversas.
d) Ninguna respuesta es correcta.

70. ¿En qué condiciones se desarrolla la bacteria Salmonella?

a) A temperatura ambiente.
b) En la carne picada.
c) En la leche sin pasteurizar.
d) Todas las respuestas indican condiciones adecuadas para el desarrollo de la bacteria.

71. ¿Cuál puede ser la causa de la contaminación por estafilococo?

a) Presencia de animales en la cocina.
b) Mala manipulación.

c) Animal de producción enfermo.
d) Todas las respuestas son correctas.

72. ¿Cómo se destruye el *Clostridium botulinum*?

a) Por congelación.
b) A 65 ºC en el centro del producto.
c) A 120 ºC durante 20 minutos.
d) No se destruye con la temperatura.

73. ¿Cuál es el periodo de incubación de Shigella?

a) Minutos.
b) Horas.
c) Días.
d) Meses.

74. ¿Cuál de las siguientes bacterias se puede encontrar en las ostras?

a) Yersinia.
b) Campilobacter.
c) Bacillus.
d) Estafilococo.

75. ¿Cuál de las siguientes bacterias se puede encontrar en la harina?

a) Yersinia.
b) Campilobacter.
c) Bacillus.
d) Estafilococo.

76. ¿Qué síntomas se producen en la brucelosis?

a) Fiebre, dolor de cabeza y pérdida de apetito.
b) Fiebre, dolor muscular y parálisis facial.
c) Diarreas hemorrágicas.
d) Ninguno de los anteriores.

77. ¿Qué es Vibrio?

a) Una bacteria.
b) Un virus.
c) Una toxina.
d) Un parásito.

78. ¿De dónde proceden las micotoxinas?

a) Alimentos.
b) Hongos.
c) Agua.
d) Vías respiratorias altas.

79. ¿Qué problemas causa el virus Norwalk?

a) Hemorragia.
b) Parálisis.
c) Gastroenteritis.
d) Muerte.

80. ¿Qué enfermedad es la Encefalopatía espongiforme bovina?

a) Enfermedad de las vacas locas.
b) Hepatitis A.
c) Cólera.
d) Ninguna de las anteriores.

81. ¿Qué alimento puede portar el parásito causante de la triquinosis?

a) Fruta.
b) Pescado.
c) Carne.
d) Verdura.

82. ¿Qué enfermedad se previene con la congelación del pescado?

a) Anisomiasis.
b) Botulismo.
c) Gastroenteritis.
d) Hepatitis.

83. ¿Dónde se desarrolla Giardia?

a) En la carne.
b) En la tierra.
c) En el agua.
d) En los ganglios.

84. ¿Cuáles de los siguientes son contaminantes abióticos?

a) Metales pesados.
b) Insectos.

c) Hongos.
d) Protozoos.

85. ¿Cómo se denomina la aparición en dos o más personas en un mismo lugar, de una enfermedad debida a una infección?

a) Toxiinfección.
b) Brote epidemiológico.
c) Pandemia.
d) Zoonosis.

86. ¿En qué consiste la vigilancia epidemiológica?

a) En Hacer control de calidad.
b) Es un plan de prevención de riesgos alimentarios.
c) En realizar estudios de los brotes para determinar la causa y proponer medidas.
d) Es una red de control del comercio de productos alimenticios.

87. ¿Cuál es el nivel de vigilancia no especializada?

a) Atención primaria.
b) Atención especializada.
c) Servicios regionales.
d) Servicios centrales.

Solución al test n.º 9

1. a) Lavado de manos con agua caliente y jabón.

2. c) Informará con la finalidad de que se valore la necesidad de someterse a examen médico, y, en caso necesario, su exclusión temporal de la manipulación de productos alimenticios.

3. a) La propia empresa o una entidad autorizada por la autoridad sanitaria competente.

4. a) Las empresas del sector alimentario.

5. a) Un instrumento para ayudar a logra niveles elevados de seguridad alimentaria.

6. d) Lavarse las manos con agua fría y jabón, sin desinfectante.

7. d) Ninguna de las opciones anteriores es correcta.

8. d) El conjunto de medidas necesarias para asegurar la salubridad, inocuidad y buen estado de los productos destinados a la alimentación, en todas las etapas de su preparación.

9. d) En todas las etapas.

10. a) Cuando no hay modificación en las características organolépticas del alimento.

11. a) Los productos de producción primaria, incluidos los de la tierra, ganadería, caza y pesca.

12. d) Todas las respuestas son correctas.

13. b) Se evitarán las corrientes de aire desde zonas contaminadas a zonas limpias.

14. c) Serán de materiales lisos, lavables, resistentes a la corrosión y no tóxicos.

15. b) Si, siempre que exista una separación efectiva de los productos para evitar contaminación.

16. c) Cuando un operador de empresa alimentaria prevea razonablemente que una materia prima pueda estar contaminada, la someterá a cocción prolongada para eliminar los microorganismos.

17. d) Todas las respuestas son correctas.

18. a) La supervisión, instrucción y formación de los manipuladores de alimentos en cuestiones de higiene alimentaria.

19. a) La propia empresa alimentaria, si está capacitada para ello.

20. a) Deberá cooperar y notificar todos los establecimientos que estén bajo su control con el fin de proceder a su registro.

21. b) Toda forma de control que efectúe la autoridad competente o la Comunidad para verificar el cumplimiento de la legislación sobre piensos y alimentos, así como las normas relativas a la salud animal y el bienestar de los animales.

22. c) Ordena las cualificaciones profesionales susceptibles de reconocimiento y acreditación, identificadas en el sistema productivo en función de las competencias apropiadas para el ejercicio profesional.

23. b) A través de la expedición de certificado individual.

24. a) Para determinar el estado de salud de un individuo.

25. d) La ley 17/2011, de 5 de julio, de seguridad alimentaria y nutrición.

26. d) Todo ello, que además será debe ser exclusivo para su puesto de trabajo.

27. c) Está prohibido en todas las fases del proceso.

28. b) Reglamento (CE) nº 852/2004 del Parlamento Europeo y del Consejo, de 29 de abril.

29. d) Todas las respuestas son correctas.

30. d) Todas las respuestas son correctas.

31. c) Medicamentos veterinarios y otros tratamientos.

32. a) La manipulación y almacenamiento se harán a temperatura adecuada, que se podrá comprobar y registrar.

33. d) Todas las respuestas son correctas.

34. b) Salas donde se consumen alimentos.

35. d) Todas las respuestas son correctas.

36. c) Cuando estén en contacto con los alimentos deberán limpiarse y desinfectarse con frecuencia.

37. a) Estarán provistos de cierre y se mantendrán limpios.

38. a) Sí, siempre que no contenga ninguna sustancia que entrañe peligro para la salud o pueda contaminar el producto.

39. c) Las temperaturas de conservación podrán dar lugar a riesgos para la salud.

40. c) a y b son correctas.

41. b) Factor de peligro.

42. d) Todas son correctas.

43. d) Azucar.

44. d) Todas son correctas.

45. c) El Reglamento (CE) n.º 1881/2006 de la Comisión de 19 de diciembre de 2006.

46. a) Micotoxinas.

47. a) Son micotoxinas producidas por hongos del género Aspergillus.

48. d) Todas son correctas.

49. a) Los alcaloides.

50. c) Se produce de manera natural en alimentos y bebidas fermentadas, especialmente las alcohólicas.

51. b) Prolongar su vida útil, mantenerlo o mejorar el estado de los alimentos envasados.

52. b) Se utilizan para modificar el olor y el sabor del alimento.

53. a) Son proteínas con función catalizadora.

54. d) Todas son correctas.

55. c) El conjunto de medidas necesarias para asegurar la salubridad, inocuidad y buen estado de los productos destinados a la alimentación, en todas las etapas de su producción.

56. a) Probablemente sea rechazado antes de su consumo.

57. b) Intoxicaciones alimentarias.

58. c) Verano.

59. a) Ancianos.

60. a) En la consistencia.

61. c) No perecedero.

62. a) Directa.

63. a) Directa.

64. d) Son correctas las respuestas b y c.

65. d) Todas estas condiciones influyen.

66. d) A 100 ºC.

67. a) Por su acidez.

68. c) Leche.

69. b) Las que viven en ausencia de oxígeno.

70. d) Todas las respuestas indican condiciones adecuadas para el desarrollo de la bacteria.

71. b) Mala manipulación.

72. c) A 120 ºC durante 20 minutos.

73. c) Días.

74. a) Yersinia.

75. c) Bacillus.

76. a) Fiebre, dolor de cabeza y pérdida de apetito.

77. a) Una bacteria.

78. b) Hongos.

79. c) Gastroenteritis.

80. a) Enfermedad de las vacas locas.

81. c) Carne.

82. a) Anisomiasis.

83. c) En el agua.

84. a) Metales pesados.

85. b) Brote epidemiológico.

86. c) En realizar estudios de los brotes para determinar la causa y proponer medidas.

87. a) Atención primaria.

TEST N.º 10

Atención del Auxiliar de Enfermería en la preparación del paciente para la exploración: Posiciones anatómicas y materiales medico quirúrgicos de utilización más común. Atención pre y post operatoria

1. Los motivos para realizar una exploración médica son:

a) El diagnóstico de una enfermedad.
b) Reconocimiento laboral.
c) Programas de prevención y despistaje de determinadas patologías
d) Todas son correctas.

2. A la hora de preparar al paciente para una exploración médica general, tendremos en cuenta los siguientes aspectos, excepto:

a) Cuidar la temperatura ambiente de la habitación donde se lleve a cabo.
b) Informar previamente al paciente de que no debe orinar horas antes de la exploración.
c) Medir las constantes vitales antes de la exploración.
d) Cubrir su cuerpo con una sábana.

3. El instrumento que utiliza el personal médico en las consultas o en los distintos servicios hospitalarios para visualizar una radiografía recibe el nombre de:

a) Otoscopio.
b) Oftalmoscopio.
c) Espejo radiográfico.
d) Negatoscopio.

4. La observación visual de las modificaciones o alteraciones que puedan apreciarse en la superficie corporal se denomina:

a) Palpación.
b) Inspección.

c) Percusión.
d) Auscultación.

5. Al realizar la percusión sobre órganos que contienen aire obtenemos un sonido:

a) Mate.
b) Claro.
c) Submate.
d) Timpánico.

6. La percusión consiste en:

a) La aplicación del oído a la superficie del cuerpo del paciente, para oír los ruidos fisiológicos o patológicos que se producen en el interior del mismo.
b) Ir golpeando con la yema del dedo medio de la mano derecha, encorvado en forma de gancho, sobre la segunda falange de los dedos de la mano izquierda, que se halla abierta y colocada sobre el área corporal que se desea explorar.
c) La obtención de información clínica de la zona que se va a explorar por medio del tacto y de la presión.
d) La observación visual de las modificaciones o alteraciones que puedan apreciarse en la superficie corporal a explorar.

7. Al realizar la percusión sobre órganos que no contienen aire obtenemos un sonido:

a) Mate.
b) Claro.
c) Submate.
d) Timpánico.

8. En la exploración física, cuando se realiza la auscultación de los pacientes, ¿qué instrumento se puede utilizar?

a) Esfingomanómetro.
b) Fibroscopio.
c) Fonendoscopio.
d) Optotipo.

9. El fonendoscopio se utiliza esencialmente para escuchar sonidos:

a) Respiratorios.
b) Cardiacos.
c) Hepáticos.
d) A y b son correctas.

10. El instrumento clínico denominado fonendoscopio:

a) Permite la auscultación del corazón y pulmones.
b) Permite conocer las cifras de la presión sistólica y diastólica.
c) Permite la medición de la capacidad respiratoria de los pulmones.
d) Permite el registro de la actividad bioeléctrica del corazón.

11. La técnica que realiza el personal sanitario en la exploración de los pacientes y que se basa en escuchar los ruidos fisiológicos y patológicos que se producen en el interior del organismo, recibe el nombre de:

a) Palpación.
b) Auscultación.
c) Percusión.
d) Inspección.

12. ¿Cómo denominamos en clínica a la técnica diagnóstica que se realiza con el fin de registrar la actividad bioeléctrica del corazón?

a) Ecodopler.
b) Gammagrafía arterial.
c) Electrocardiograma.
d) Espirometría.

13. ¿Cuál de las siguientes no es una exploración instrumental del aparato cardiocirculatorio?

a) EKG.
b) Tensiómetro.
c) Radiología simple.
d) Todas son exploraciones del aparato cardiocirculatorio.

14. La espirometría es:

a) Una enfermedad de los bronquios.
b) Una enfermedad de la tráquea.
c) Una prueba para medir volúmenes y capacidades pulmonares.
d) Una enfermedad de los alvéolos.

15. Para la exploración y medición de la capacidad respiratoria de los pulmones se utiliza:

a) Tensiómetro.
b) Ecografía.
c) pH-metría.
d) Espirometría simple.

16. Los volúmenes de aire estático de los pulmones se miden mediante:

a) La espirometría simple.
b) La espirometría forzada.
c) La espirometría completa.
d) La espirometría compleja.

17. ¿Cómo se denomina la prueba de diagnóstico por imagen que se basa en la emisión de ondas sonoras de alta frecuencia sobre un cuerpo físico?

a) Resonancia magnética.
b) Ecografía.
c) Tomografía computerizada.
d) Radiología simple.

18. ¿Cuál de las siguientes es una indicación de la mamografía?

a) Realización de screening para detección de patología latente en población sana.
b) Detección e identificación de masas palpables y no palpables en población afecta.
c) Estudio del estado, permeabilidad e integridad de los conductos galactóforos, los senos lactíferos y los acinos.
d) Todas son ciertas.

19. ¿Cómo denominamos en clínica a la prueba de diagnóstico por imagen que utiliza un contraste radiológico (radioisótopo) y que está indicada, entre otras, para el estudio de tiroides?

a) Resonancia magnética.
b) Ecografía.
c) Gammagrafía.
d) Tomografía computerizada.

20. Las exploraciones radiológicas con contraste de la vejiga urinaria, se denominan:

a) Pielografía.
b) Cistografía retrógrada.
c) TAC.
d) Gammagrafía.

21. Las exploraciones radiológicas con contraste del riñón, se denominan:

a) Pielografía.
b) Ureteroscopia.
c) TAC renal.
d) Urinocultivo.

22. El aparato que se utiliza para medir la actividad eléctrica del músculo, se denomina:

a) Electrocardiógrafo.
b) Electromiógrafo.
c) Electroencefalógrafo.
d) Electrohepatógrafo.

23. El estudio de la actividad eléctrica del Sistema Nervioso Central, se lleva a cabo mediante:

a) Arteriografía cerebral.
b) TAC.
c) Resonancia magnética nuclear.
d) Electroencefalograma.

24. El procedimiento que se realiza para el estudio de la actividad eléctrica del músculo esquelético se denomina:

a) Electrocardiograma.
b) Electroencefalograma.
c) Electromiograma.
d) Electrofibrilla.

25. La técnica diagnóstica denominada EEG:

a) Permite la obtención de líquido cefalorraquídeo.
b) Permite el estudio del sistema arterial.
c) Permite el estudio de la actividad eléctrica del SNC.
d) Permite conocer el funcionamiento del tiroides.

26. La exploración de la vía ósea de transmisión del sonido se lleva a cabo mediante la prueba de:

a) Weber.
b) Rinnie.
c) Otoscopia.
d) Dalton.

27. Se estudia la transmisión del sonido por vía aérea mediante la prueba de:

a) Weber.
b) Rinnie.
c) Dalton.
d) Otoscopia.

28. La prueba de Weber:

a) Explora la capacidad inspiratoria del paciente.
b) Explora la vía ósea de transmisión del sonido.
c) Explora la anemia del paciente.
d) Explora la capacidad de coagulación del paciente.

29. Para visualizar el oído externo y la membrana timpánica, utilizamos:

a) Laringoscopio.
b) Otoscopio.
c) Estetoscopio.
d) Colonoscopio.

30. La ayuda ofrecida por el Auxiliar de Enfermería para que el paciente se vista durante una exploración física, corresponde a su función:

a) Asistencial.
b) Organizativa.
c) Puesta a punto.
d) Ninguna es cierta.

31. La tarea ofrecida por el Auxiliar de Enfermería para citar a un paciente a consultas externas, corresponde a su función:

a) Asistencial.
b) Organizativa.
c) Puesta a punto.
d) Ninguna es cierta.

32. Para realizar un estudio de esófago, es cierto que:

a) Se debe mantener al paciente en ayunas 12 horas antes de la prueba.
b) No requiere ningún tipo de preparación.
c) Se administrará al paciente una dieta pobre en residuos.
d) Se forzará al enfermo a que ingiera líquidos el día antes de la prueba.

33. En el estudio de colon, es cierto que:

a) 24 horas antes el paciente se tomará un laxante potente.
b) Durante los dos días anteriores, el enfermo tomará una dieta rica en residuos.
c) Durante las dos noches anteriores, el paciente tomará un laxante suave.
d) A y c son correctas.

34. En la colangiografía percutánea, es cierto que el paciente permanecerá en ayunas:

a) 8 horas antes.
b) 12 horas antes.
c) 24 horas antes.
d) No requiere preparación.

35. La realización por parte del personal médico de una punción lumbar tiene la finalidad de:

a) Extraer líquido pleural.
b) Extraer líquido peritoneal.
c) Extraer líquido amniótico.
d) Extraer líquido cefalorraquídeo.

36. Cuando el personal médico realiza una punción lumbar inserta la aguja en el espacio subaracnoideo a través de:

a) 3, 4 y 5 vértebras torácicas.
b) 3, 4 y 5 vértebras dorsales.
c) 3, 4 y 5 vértebras sacras.
d) 3, 4 y 5 vértebras lumbares.

37. La lidocaína utilizada como anestésico local, tiene una concentración del:

a) 1%.
b) 2%.
c) 3%.
d) 4%.

38. Tras una punción lumbar, las constantes vitales se vigilarán:

a) Cada media hora durante 6 horas.
b) Cada hora durante 6 horas.
c) Cada hora durante 2 horas.
d) Cada media hora durante 2 horas.

39. Tras una punción lumbar, el paciente permanecerá en decúbito supino:

a) 2 horas.
b) 4 horas.
c) 6 horas.
d) 8 horas.

40. Los hemocultivos seriados se extraen con un intervalo de:

a) 5 minutos.
b) 10 minutos.
c) 15 minutos.
d) 30 minutos.

41. ¿Cómo se denomina el procedimiento que se realiza para drenar el líquido pleural?

a) Punción lumbar.
b) Paracentesis.
c) Toracocentesis.
d) Amniocentesis.

42. Cuando el facultativo nos indica que coloquemos el campo estéril en un paciente diagnosticado de empiema y al que se le va a someter a una toracocentesis, ¿dónde lo pondremos?

a) 2.º y 3.er espacio intercostal.
b) 1.º y 5.º espacio intercostal.
c) 4.º y 5.º espacio intercostal.
d) 2.º y 5.º espacio intercostal.

43. ¿Cómo se denomina el procedimiento que se realiza para drenar la cavidad peritoneal?

a) Punción cisternal.
b) Toracocentesis.
c) Paracentesis.
d) Punción lumbar.

44. ¿En qué área anatómica se encuentra la cavidad peritoneal?

a) Abdomen.
b) Tórax.
c) Zona acromio-clavicular.
d) Cerebro.

45. Hablamos de decúbito prono cuando el individuo está:

a) De pie.
b) Acostado boca abajo.
c) Acostado boca arriba.
d) De lado.

46. Cuando el paciente está acostado sobre su espalda, con las piernas extendidas y los brazos alineados a lo largo del cuerpo, se habla de posición de:

a) Fowler.
b) Decúbito supino.
c) Sims.
d) Decúbito prono.

47. Cuando el paciente está acostado sobre su abdomen y pecho con la cabeza girada lateralmente, piernas extendidas y los brazos extendidos a lo largo del cuerpo, se habla de posición de:

a) Trendelenburg.
b) Decúbito prono.
c) Sims.
d) Antitrendelenburg.

48. La posición anatómica es la:

a) Posición de Fowler.
b) Posición de decúbito lateral izquierdo.
c) Posición de decúbito dorsal.
d) Posición de decúbito lateral derecho.

49. En la siguiente figura, la posición se conoce como posición de:

a) Ginecológica.
b) Fowler.
c) Decúbito lateral.
d) Decúbito ventral.

50. En la siguiente figura, la posición se conoce como posición de:

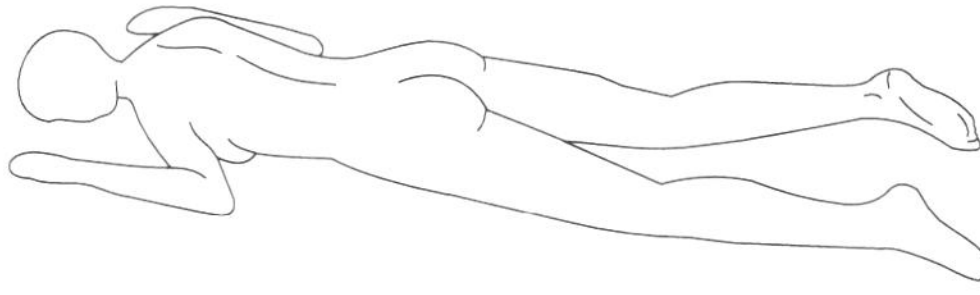

a) Ginecológica.
b) Fowler.

c) Morestin.
d) Decúbito ventral.

51. En la siguiente figura, la posición se conoce como posición de:

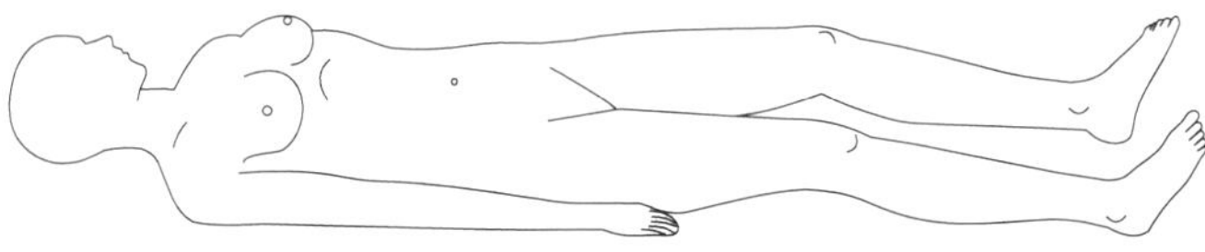

a) Ginecológica.
b) Decúbito supino.
c) Morestin.
d) Trendelenburg.

52. En la posición de decúbito supino:

a) El eje del cuerpo es oblicuo al suelo.
b) El eje del cuerpo es paralelo al suelo.
c) El eje del cuerpo es perpendicular al suelo.
d) El eje del cuerpo hace un ángulo de 90º con el suelo.

53. La posición de Trendelenburg se diferencia de la posición de decúbito supino en que en la primera:

a) El plano del cuerpo está inclinado 45° respecto al plano del suelo.
b) La cabeza del paciente está más alta que los pies.
c) El plano del cuerpo está inclinado 10° respecto al plano del suelo.
d) La cabeza del paciente está en la misma línea que los pies.

54. Debe colocar al paciente en la posición de Fowler, si cuando va a realizar el cambio postural del mismo se encuentra que:

a) Está roncando.
b) Respira profundamente.
c) Jadea.
d) Está eupneico.

55. La posición más favorecedora para un paciente con patología respiratoria es:

a) Posición de Sims.
b) Posición de Fowler.
c) Semi-Fowler.
d) Las opciones b y c son correctas.

56. La posición preferida de los pacientes encamados con enfermedades pulmonares obstructivas (asma, enfisema, bronquitis crónica), es la de:

a) Decúbito supino.
b) Fowler.
c) Sims.
d) Semiprono.

57. Paciente semisentado sobre la cama con las rodillas ligeramente flexionadas y el respaldo de la cama formando un ángulo de 90º respecto a los pies. Se conoce como posición:

a) Ginecológica.
b) Fowler.
c) Antitrendelenburg.
d) Decúbito prono.

58. En la siguiente figura, la posición se conoce como posición de:

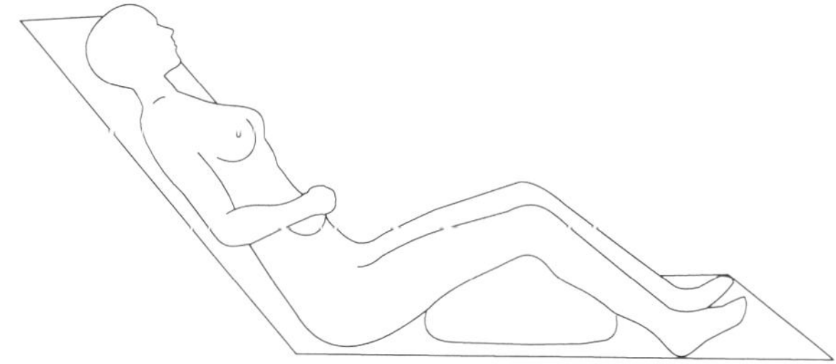

a) Antitrendelenburg.
b) Fowler.
c) Ginecológica.
d) Trendelenburg.

59. ¿Cuál es la posición usada en exploraciones de cabeza, cuello y pecho?

a) Decúbito prono.
b) Decúbito supino.
c) Posición genupectoral.
d) Posición de Fowler.

60. La posición de Sims se conoce también como:

a) Posición de semiprono.
b) Posición ginecológica.
c) Posición de litotomía.
d) Posición genupectoral.

61. Para facilitar la eliminación de secreciones en pacientes inconscientes se les coloca en la posición de:

a) Decúbito supino.
b) Trendelenburg.
c) Sims.
d) Semiprono.

62. En la siguiente figura, la posición se conoce como posición de:

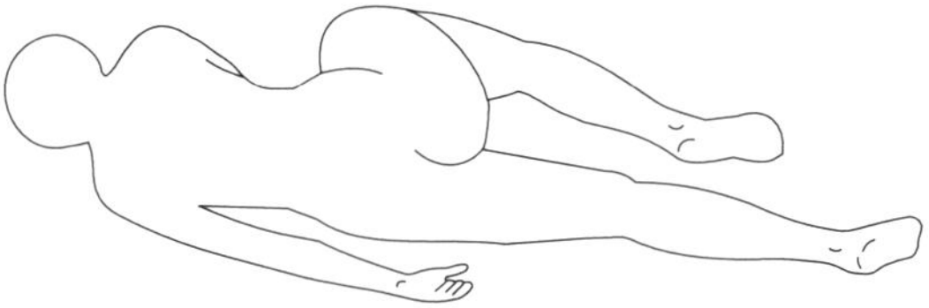

a) Ginecológica.
b) Decúbito supino.
c) Morestin.
d) Sims.

63. La posición ginecológica se conoce también como posición de:

a) Litotomía.
b) Sims.
c) Fowler.
d) Trendelenburg.

64. La posición que se adopta en el parto es la posición de:

a) Fowler.
b) Litotomía.
c) Sims.
d) Trendelenburg.

65. En la siguiente figura, la posición se conoce como posición de:

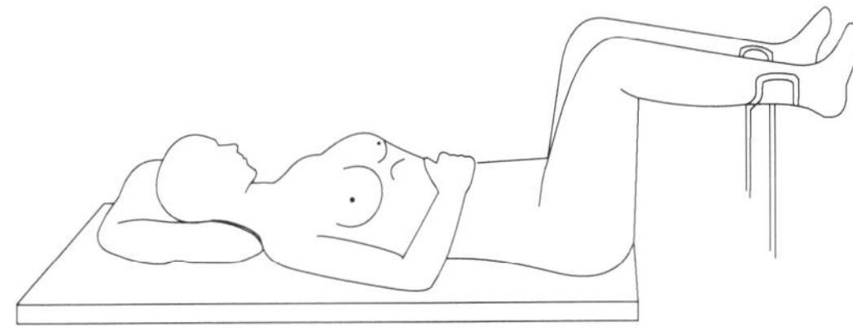

a) Ginecológica.
b) Fowler.

c) Morestin.
d) Trendelenburg.

66. Señale la opción incorrecta con respecto a la posición de litotomía:

a) La paciente se halla acostada boca arriba.
b) Las piernas están colocadas sobre los estribos de la cama.
c) Las rodillas y caderas de la paciente están flexionadas.
d) Los muslos de la paciente están en aducción.

67. Un paciente en estado de shock hay que colocarlo en posición de:

a) Decúbito supino.
b) Trendelenburg.
c) Antitrendelenburg.
d) Semiprono.

68. Cuando estamos en decúbito supino, de forma que la cabeza esté más baja que los pies, la postura que tenemos se denomina:

a) Posición de Rose.
b) Posición de Sims.
c) Trendelenburg.
d) Antitrendelenburg.

69. En la siguiente figura, la posición se conoce como posición de:

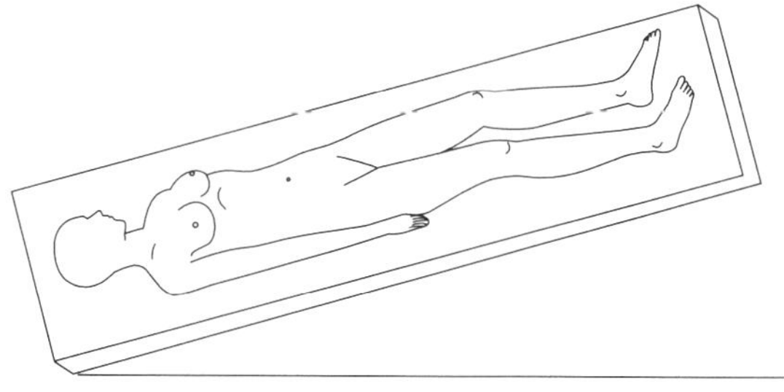

a) Antitrendelenburg.
b) Fowler.
c) Ginecológica.
d) Trendelenburg.

70. La posición de Morestin se denomina también como posición de:

a) Sims.
b) Antitrendelenburg.

c) Litotomía.
d) Decúbito lateral derecho.

71. En la siguiente figura, la posición se conoce como posición de:

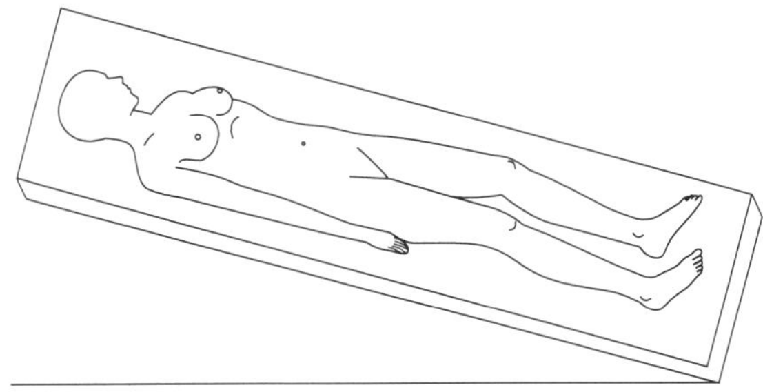

a) Morestin o Antitrendelenburg.
b) Trendelenburg.
c) Decúbito dorsal.
d) Decúbito prono.

72. La posición mahometana se corresponde con la posición anatómica denominada:

a) Sims.
b) Trendelenburg.
c) Genupectoral.
d) Decúbito lateral derecho.

73. Un paciente colocado boca abajo, apoyado sobre su pecho y rodillas, se encuentra en posición:

a) Decúbito prono.
b) Decúbito supino.
c) Genupectoral.
d) Ortostática.

74. Las exploraciones rectales es preferible hacerlas en la posición de:

a) Decúbito supino.
b) Genupectoral.
c) Antitrendelenburg.
d) Semiprono.

75. ¿Cuál de las siguientes posiciones no es considerada exclusivamente como quirúrgica?

a) Kraske.
b) Laminectomía.

c) Craneotomía.
d) Morestin.

76. ¿Cuál de las siguientes posiciones es considerada exclusivamente como quirúrgica?

a) Fowler.
b) Decúbito supino.
c) Sims.
d) Kraske.

77. ¿Cuál de las siguientes afirmaciones sobre la fase preoperatoria es falsa?

a) Abarca desde el momento en el que el paciente acepta someterse al tratamiento quirúrgico hasta su traslado a quirófano.
b) Puede durar desde horas hasta varios meses.
c) La mayor parte de la responsabilidad de esta etapa corre a cargo del cirujano responsable.
d) La actuación de enfermería va dirigida a asegurar las mejores condiciones físicas y psicológicas del paciente.

78. En los momentos anteriores al traslado a quirófano ha de prepararse la piel del paciente para su operación; el objetivo de esta preparación es:

a) Esterilizar la zona a tratar.
b) Eliminar la tensión del paciente.
c) Mejorar la vascularización de la zona que se va a operar.
d) Eliminar de la zona operatoria todos los microorganismos que sea posible.

79. El ingreso en un hospital de un paciente origina en este y en su familia una serie de sensaciones negativas que debemos intentar minimizar; es muy importante la recepción del paciente y su instalación de forma adecuada, y si el paciente está consciente y orientado deberemos:

a) Saludar al paciente y recoger la información que trae el personal adecuado.
b) Explicar al paciente todo lo concerniente al hospital, horarios de visitas, comida…
c) Proporcionar al paciente material de uso diario: pijama, bata…
d) Todas son correctas.

80. Señale la opción incorrecta. ¿Cuándo se obtiene la autorización con conocimiento?

a) Cuando se va a emplear anestesia.
b) Cuando la técnica entraña penetración corporal.
c) Cuando se efectúa cualquier técnica no quirúrgica.
d) Cuando se utiliza una técnica con empleo de radiación, tratamiento con cobalto u otras similares.

81. Cuando un paciente o familia firma la llamada autorización con conocimiento, dicha firma debe de ser realizada de forma totalmente voluntaria. ¿De quién es la responsabilidad de verificar que se ha hecho de la forma adecuada?

a) Del médico de planta.
b) De la enfermera.
c) Del cirujano.
d) Son correctas a y c.

82. Cuando el rasurado en un hombre comprende desde debajo de los pezones hasta por debajo del pubis, y desde una línea axilar anterior hasta la otra, quiere ello decir que el hombre va a ser intervenido de:

a) Mama.
b) Tórax.
c) Riñón.
d) Abdomen.

83. Siempre que preparemos el material para llevar a cabo el rasurado de un paciente prequirúrgico debemos incluir (indicar el incorrecto):

a) Maquinilla de afeitar
b) Guantes desechables.
c) Toallas.
d) Glutaraldehído al 2 %.

84. En una cirugía de espalda se deberá rasurar:

a) Toda la zona posterior del cuerpo comprendida entre el nacimiento del pelo en el cuello y la mitad de la zona glútea.
b) Es el cirujano quien debe de indicar la zona a rasurar.
c) Desde la zona umbilical hasta la zona mandibular.
d) Desde la línea media de la zona anterior del tronco afecto hasta la línea posterior del mismo, y se extenderá desde la axila del tronco afecto hasta la zona inguinal.

85. ¿Cuál de los siguientes cuidados de enfermería no forma parte de las tareas preoperatorias?

a) Todos los enfermos deben de orinar antes de que les sea administrada la premedicación.
b) Retirar cualquier tipo de prótesis.
c) Informar a la familia.
d) Vestir al paciente con bata corta.

86. De forma general podemos decir que los pacientes quirúrgicos deben permanecer en ayunas entre 8-10 horas antes de la cirugía; esto se debe a:

a) Se necesita mayor cantidad de anestesia en los pacientes que han ingerido algún tipo de alimentos.
b) La posibilidad de broncoaspiración durante la cirugía.
c) La necesidad de disminuir el metabolismo basal del paciente durante la cirugía.
d) La minimización de las complicaciones posteriores.

87. La premedicación se debe de administrar:

a) Una hora antes de la intervención.
b) De 45 a 75 minutos antes de la intervención.
c) Cuando el paciente llegue a la sala de reanimación.
d) La noche anterior a la intervención.

88. Uno de los siguientes grupos de fármacos no se emplea dentro de la premedicación. ¿Cuál de ellos es?

a) Barbitúricos.
b) Opiáceos.
c) Anticolinérgicos.
d) Betabloqueantes.

89. Una vez finalizada la intervención quirúrgica con anestesia general se traslada al paciente a/la:

a) Zona estéril de quirófano.
b) Su habitación en la planta correspondiente.
c) Zona de observación de urgencias.
d) Sala de recuperación o sala de despertar.

90. Señale la opción incorrecta. Entre los cuidados de enfermería a llevar a cabo en la sala de reanimación para evitar posibles complicaciones tenemos:

a) Colocar al paciente en posición de Roser.
b) Control de constantes.
c) Control del nivel de consciencia.
d) Control de diuresis.

91. Existe un periodo postoperatorio inmediato y uno tardío; el inmediato se inicia cuando finaliza la operación y el paciente es trasladado a la unidad de vigilancia postquirúrgica, en este momento los objetivos de enfermería serán:

a) Disipar la anestesia residual.
b) Tranquilizar emocionalmente al enfermo y reducir su ansiedad.

c) Mantener la permeabilidad de la vía aérea.
d) Todas son ciertas.

92. Durante el postoperatorio inmediato es relativamente corriente la alteración del cambio gaseoso por diferentes causas; para evitar este problema colocaremos al paciente en:

a) Decúbito supino.
b) Litotomía.
c) Decúbito lateral.
d) No importa la postura del paciente.

93. El seguimiento de las constantes durante el postoperatorio inmediato es fundamental hasta que se estabiliza el paciente; por esto deberemos realizar un seguimiento cada:

a) 15 minutos.
b) 60 minutos.
c) 120 minutos.
d) Una vez por turno.

94. ¿Cuál de los siguientes cuidados de enfermería no forma parte de los cuidados postoperatorios a poner en marcha cuando el enfermo se encuentra ya en la habitación?

a) Deambulación postoperatoria temprana.
b) Indicar al paciente que realice respiraciones profundas y que tosa.
c) Ayudar al enfermo en sus funciones de eliminación.
d) Iniciar dieta astringente.

Solución al test n.º 10

1. d) Todas son correctas.

2. b) Informar previamente al paciente de que no debe orinar horas antes de la exploración.

3. d) Negatoscopio.

4. b) Inspección.

5. d) Timpánico.

6. b) Ir golpeando con la yema del dedo medio de la mano derecha, encorvado en forma de gancho, sobre la segunda falange de los dedos de la mano izquierda, que se halla abierta y colocada sobre el área corporal que se desea explorar.

7. a) Mate.

8. c) Fonendoscopio.

9. d) A y b son correctas.

10. a) Permite la auscultación del corazón y pulmones.

11. b) Auscultación.

12. c) Electrocardiograma.

13. c) Radiología simple.

14. c) Una prueba para medir volúmenes y capacidades pulmonares.

15. d) Espirometría simple.

16. a) La espirometría simple.

17. b) Ecografía.

18. d) Todas son ciertas.

19. c) Gammagrafía.

20. b) Cistografía retrógrada.

21. a) Pielografía.

22. b) Electromiógrafo.

23. d) Electroencefalograma.

24. c) Electromiograma.

25. c) Permite el estudio de la actividad eléctrica del SNC.

26. a) Weber.

27. b) Rinnie.

28. b) Explora la vía ósea de transmisión del sonido.

29. b) Otoscopio.

30. a) Asistencial.

31. b) Organizativa.

32. b) No requiere ningún tipo de preparación.

33. d) A y c son correctas.

34. a) 8 horas antes.

35. d) Extraer líquido cefalorraquídeo.

36. d) 3, 4 y 5 vértebras lumbares.

37. b) 2%.

38. d) Cada media hora durante 2 horas.

39. b) 4 horas.

40. d) 30 minutos.

41. c) Toracocentesis.

42. c) 4.º y 5.º espacio intercostal.

43. c) Paracentesis.

44. a) Abdomen.

45. b) Acostado boca abajo.

46. b) Decúbito supino.

47. b) Decúbito prono.

48. c) Posición de decúbito dorsal.

49. c) Decúbito lateral.

50. d) Decúbito ventral.

51. b) Decúbito supino.

52. b) El eje del cuerpo es paralelo al suelo.

53. a) El plano del cuerpo está inclinado 45° respecto al plano del suelo.

54. c) Jadea.

55. d) Las opciones b y c son correctas.

56. b) Fowler.

57. b) Fowler.

58. b) Fowler.

59. d) Posición de Fowler.

60. a) Posición de semiprono.

61. c) Sims.

62. d) Sims.

63. a) Litotomía.

64. b) Litotomía.

65. a) Ginecológica.

66. d) Los muslos de la paciente están en aducción.

67. b) Trendelenburg.

68. c) Trendelenburg.

69. d) Trendelenburg.

70. b) Antitrendelenburg.

71. a) Morestin o Antitrendelenburg.

72. c) Genupectoral.

73. c) Genupectoral.

74. b) Genupectoral.

75. d) Morestin.

76. d) Kraske.

77. c) La mayor parte de la responsabilidad de esta etapa corre a cargo del cirujano responsable.

78. d) Eliminar de la zona operatoria todos los microorganismos que sea posible.

79. d) Todas son correctas.

80. c) Cuando se efectúa cualquier técnica no quirúrgica.

81. b) De la enfermera.

82. d) Abdomen.

83. d) Glutaraldehído al 2 %.

84. a) Toda la zona posterior del cuerpo comprendida entre el nacimiento del pelo en el cuello y la mitad de la zona glútea.

85. a) Todos los enfermos deben de orinar antes de que les sea administrada la premedicación.

86. b) La posibilidad de broncoaspiración durante la cirugía.

87. b) De 45 a 75 minutos antes de la intervención.

88. d) Betabloqueantes.

89. d) Sala de recuperación o sala de despertar.

90. a) Colocar al paciente en posición de Roser.

91. d) Todas son ciertas.

92. c) Decúbito lateral.

93. a) 15 minutos.

94. d) Iniciar dieta astringente.

TEST N.º 11

Vías de administración de los medicamentos: Oral, rectal y tópica. Precauciones para su administración. Condiciones de almacenamiento y conservación. Caducidades

1. Tomando con referencia el Real Decreto Legislativo 1/2015, de 24 de julio de garantías y uso racional de los medicamentos y productos sanitarios entendemos por producto intermedio:

a) Toda sustancia o combinación de sustancias que se presente como poseedora de propiedades para el tratamiento o prevención de enfermedades en seres humanos o que pueda usarse en seres humanos o administrarse a seres humanos con el fin de restaurar, corregir o modificar las funciones fisiológicas ejerciendo una acción farmacológica, inmunológica o metabólica, o de establecer un diagnóstico médico.

b) Aquella materia que, incluida en las formas galénicas, se añade a los principios activos o a sus asociaciones para servirles de vehículo, posibilitar su preparación y estabilidad, modificar sus propiedades organolépticas o determinar las propiedades físico-químicas del medicamento y su biodisponibilidad.

c) El destinado a una posterior transformación industrial por un fabricante autorizado.

d) El medicamento destinado a un paciente individualizado, preparado por un farmacéutico, o bajo su dirección, para cumplimentar expresamente una prescripción facultativa detallada de los principios activos que incluye, según las normas de correcta elaboración y control de calidad establecidas al efecto, dispensado en oficina de farmacia o servicio farmacéutico y con la debida información al usuario.

2. La disposición a que se adaptan los principios activos y excipientes para constituir un medicamento. Se define por la combinación de la forma en la que el producto farmacéutico es presentado por el fabricante y la forma en la que es administrada.

a) Forma galénica.
b) Materia prima.
c) Forma farmacéutica.
d) A y c son correctas.

3. De los siguientes preparados que se citan a continuación, di cuál es una forma farmacéutica líquida:

a) Enemas.
b) Hidrogel.
c) Óvulo.
d) Ungüento.

4. Cuando se incorpora el principio activo al disolvente dando una disolución generalmente clara, se está preparando una:

a) Solución.
b) Suspensión.
c) Emulsión.
d) Loción.

5. Los cosolventes son sustancias que favorecen la solubilidad del principio activo. Cita cuál de las siguientes sustancias no lo es:

a) Etanol.
b) Sorbitol.
c) Propilenglicol.
d) Todos son cosolventes.

6. ¿Cómo se denomina a la forma farmacéutica líquida que contiene gran parte de sus componentes en estado sólido, no disuelto?

a) Jarabe.
b) Elixires.
c) Suspensión.
d) Emulsión.

7. Las formas farmacéuticas compuestas por dos líquidos inmiscibles en las que una de las fases está inmersa en el seno de la otra en forma de pequeñas gotitas, se denomina:

a) Emulsión.
b) Linimento.
c) Solución.
d) Suspensión.

8. Las formas farmacéuticas líquidas de administración oral constituidas principalmente por una solución acuosa concentrada de sacarosa, se denominan:

a) Jarabes.
b) Elixires.

c) Lociones.
d) Linimentos.

9. Los preparados líquidos para vía inhalatoria son los aerosoles, existiendo diversos tipos. Cita cuál de los siguientes es un tipo de aerosol:

a) Vaporizador.
b) Nebulizador.
c) Spray.
d) Todos son aerosoles.

10. Las soluciones en las que el disolvente es una mezcla de agua y alcohol, son:

a) Elixires.
b) Colirios.
c) Linimentos.
d) Lociones.

11. ¿Cómo se llama a los preparados líquidos constituidos por una solución o emulsión de sustancias activas en un vehículo y destinados para su aplicación externa mediante fricción?

a) Locion.
b) Elixir.
c) Linimento.
d) Crema.

12. Cómo se denominan las pomadas de poca consistencia y formadas generalmente por emulsiones O/A, O/W:

a) Ungüentos.
b) Cremas.
c) Pastas.
d) Hidrogeles.

13. Las pomadas de mucha consistencia con sólidos en suspensión son:

a) Cremas.
b) Ungüentos.
c) Pastas.
d) Hidrogeles.

14. Las pomadas translúcidas o transparentes de consistencia variable, se denominan:

a) Linimentos.
b) Cremas.

c) Hidrogeles.
d) Ungüentos.

15. Las pomadas de poca consistencia y formadas generalmente por emulsiones A/O son:

a) Cremas.
b) Linimentos.
c) Ungüentos.
d) Hidrogeles.

16. El nombre del fármaco que recoge la acción del producto químico se denomina:

a) Nombre genérico.
b) Nombre químico.
c) Marca registrada.
d) Medicamento.

17. Si llamamos a un fármaco con el nombre de Bisolvón® estamos empleando su denominación referida a:

a) Marca registrada.
b) Nombre químico.
c) Nombre genérico.
d) Nombre oficioso.

18. El efecto primario pretendido por un fármaco (la razón por la cual se prescribe), se denomina:

a) Efecto lateral.
b) Efecto terapéutico.
c) Toxicidad de un fármaco.
d) Efecto idiosincrásico.

19. Cuando una persona es incapaz de metabolizar una dosis de un fármaco antes de recibir la siguiente, se denomina:

a) Tolerancia a un fármaco.
b) Efecto idiosincrásico.
c) Efecto acumulativo.
d) Efecto secundario.

20. En farmacología, el efecto de un fármaco que hace que una persona sea incapaz de metabolizar una dosis de este antes de recibir la siguiente se denomina:

a) Efecto secundario o efecto lateral.
b) Efecto idiosincrásico.

c) Efecto colateral.
d) Efecto acumulativo.

21. Al tiempo que pasa desde que se administra la medicación hasta que el organismo comienza su respuesta a la misma, se denomina:

a) Vida media de un medicamento.
b) Comienzo de la acción.
c) Pico del nivel de plasma.
d) Meseta.

22. Tomando como referencia la acción de los fármacos en el organismo, la concentración mantenida de un fármaco en el plasma durante una serie de dosis programadas, se denomina:

a) Pico del nivel de plasma.
b) Meseta.
c) Vida media de un fármaco.
d) Vida media de eliminación.

23. Al proceso por el cual el fármaco es convertido en una forma menos activa se le llama:

a) Absorción.
b) Vida media de un medicamento.
c) Biotransformación biológica.
d) Eliminación.

24. La mayor parte de los metabolitos producidos por un fármaco son eliminados del organismo a través de:

a) Heces.
b) Respiración.
c) Orina.
d) Sudor.

25. Los anestésicos generales se excretan por vía:

a) Renal.
b) Hepática.
c) Digestiva.
d) Respiratoria.

26. La mayoría de las transformaciones biológicas ocurren en él:

a) Hígado.
b) Riñón.

c) Páncreas.
d) Bazo.

27. Entre los factores que afectan a la absorción de un fármaco destaca:

a) La comida.
b) Medio ácido del estómago.
c) Forma de administración.
d) Todas son correctas.

28. Antes de administrar algún medicamento tendremos en cuenta la regla denominada de los cinco correctos, ¿cuál de las siguientes opciones no se incluye en esa regla?

a) Fármaco correcto.
b) Enfermo correcto.
c) Frecuencia correcta.
d) Vía correcta.

29. ¿Cuál de las siguientes características de los fármacos orales no es correcta?

a) Los fármacos orales son seguros.
b) Los fármacos orales son de absorción rápida.
c) Los fármacos orales son cómodos.
d) Los fármacos orales son económicos.

30. ¿Cuál de las siguientes acciones no es una recomendación que daríamos a un paciente ante la administración sublingual de un fármaco?

a) No fumar.
b) No beber líquidos.
c) Vigilar la posible irritación de la mucosa.
d) Tomar un protector gástrico previo a la administración de un fármaco gastrolesivo.

31. ¿Cuál de las siguientes tipos de fármacos es más probable que se administre por vía sublingual?

a) Antibióticos.
b) Opiáceos.
c) Antihipertensivos.
d) Antidiabéticos orales.

32. Al administrar una pomada ocular, esta se aplicará en:

a) Parte superior del parpado (apéndice orbicular).
b) Parte inferior del parpado (saco conjuntival).

c) Parte lateral externa.
d) Parte lateral interna (conducto lagrimal).

33. La utilización de la vía rectal para la administración de medicamentos está contraindicada en pacientes:

a) Con EPOC.
b) Con Insuficiencia renal crónica.
c) Cardiópatas.
d) Cáncer de pulmón.

34. ¿Cuál de las siguientes vías de administración de medicamentos es considerada como parenteral indirecta?

a) Vía subcutánea.
b) Vía intramuscular.
c) Vía intraósea.
d) Vía intralinfática.

35. Un porcentaje alto de la administración de medicamentos en un centro de salud son los inyectables administrados por la vía intramuscular, ¿cuál es la cantidad máxima de volumen que podemos administrar por esta vía?

a) 2 cc.
b) 3 cc.
c) 4 cc.
d) 5 cc.

36. A la hora de administrar una inyección intramuscular se pinchará con una inclinación de:

a) 20º.
b) 30º.
c) 45º.
d) 90º.

37. Se administrará medicación por vía intravenosa cuando se desea:

a) Tratar con brevedad procesos de alta gravedad, como el shock.
b) Alcanzar y mantener niveles adecuados del fármaco en cuestión, en el torrente circulatorio del paciente.
c) Administrar medicamentos cuya administración por otras vías esté contraindicada.
d) Todas son correctas.

38. Para la extracción de sangre se aconseja el método:

a) Simple.
b) Intermitente.

c) Indirecto.
d) Directo.

39. Al elegir el punto de inserción de un catéter nos centraríamos en primer lugar en:

a) Porción inferior del antebrazo.
b) Porción inferior de la mano.
c) Porción inferior del brazo.
d) En la fosa antecubital.

40. Si tenemos que utilizar una regla para el cálculo de dosis fraccionadas para niños que consiste en dividir la edad en meses por 150 multiplicado por la dosis normal del adulto, estamos empleando la:

a) Regla de la superficie corporal.
b) Regla de los niños.
c) Regla de Clark.
d) Regla de Fried.

41. Un paciente tiene prescrito la administración de suero, concretamente 3000 cc de suero fisiológico en 24 horas, ¿cuál sería el ritmo de goteo si usamos un sistema normal?

a) 7 gotas por minuto.
b) 14 gotas por minuto.
c) 28 gotas por minuto.
d) 42 gotas por minuto.

42. Un paciente tiene prescrita la administración de suero, concretamente 500 cc de suero fisiológico en 2 horas, ¿cuál sería el ritmo de goteo si usamos un sistema normal?

a) 83 gotas por minuto.
b) 166 gotas por minuto.
c) 333 gotas por minuto.
d) 400 gotas por minuto.

43. Un paciente tiene prescrita la administración de suero, concretamente 240 cc de suero fisiológico en 1 hora, ¿cuál sería el ritmo de goteo si usamos un sistema microgoteo?

a) 80 microgotas/minuto.
b) 120 microgotas/minuto.

c) 240 microgotas/minuto.
d) 360 microgotas/minuto.

44. Un paciente tiene prescrita la administración de suero, concretamente 120 cc de suero fisiológico en 3 horas, ¿cuál sería el ritmo de goteo si usamos un sistema microgoteo?

a) 20 microgotas/minuto.
b) 40 microgotas/minuto.
c) 60 microgotas/minuto.
d) 80 microgotas/minuto.

45. ¿Cuál de las siguientes vías parenterales tiene la consideración de directa?

a) Intravenosa.
b) Subcutánea.
c) Intraósea.
d) Intraarticular.

46. El símbolo que identifica los medicamentos psicotrópicos es:

a) Un círculo blanco.
b) Un círculo negro.
c) Un círculo blanco y negro.
d) Ninguna es correcta.

47. La mayoría de los medicamentos vale con conservarlos a una temperatura:

a) De 2º a 8º C.
b) De 0º a 10º C.
c) De 5º a 22º C.
d) De 30º a 35º C.

48. Cuando en el revisado del almacén encontramos medicación cuya fecha de caducidad sea cercana, señale el procedimiento a seguir:

a) Se reemplazarán inmediatamente por otros medicamentos similares.
b) Se reemplazarán siempre por otros que dispongan de una caducidad mayor.
c) Se remitirán a la farmacia para reemplazar por otros que dispongan de una caducidad mayor siempre que no sean de uso habitual.
d) Si son medicamentos de uso habitual serán reemplazados cualquiera que sea su caducidad.

49. El error que suele deberse a la comprobación inadecuada de la medicación o a la incorrecta comunicación entre los miembros del equipo sanitario, se considera:

a) Un problema grave para el servicio de farmacia.
b) Un problema grave para el profesional que ha cometido el error.
c) Un problema de seguridad clínica de pacientes.
d) No se considera problema si no hay denuncia por parte del paciente.

50. Cuando un medicamento viene etiquetado con el símbolo de termolábil, ¿Qué indica?

a) Que es sensible a la luz.
b) Que es un medicamento para bajar la temperatura.
c) Que hay que guardar en frigorífico y mantener la cadena del frío.
d) Que es dispensado con receta médica.

Solución al test n.º 11

1. c) El destinado a una posterior transformación industrial por un fabricante autorizado.

2. d) A y c son correctas.

3. a) Enemas.

4. a) Solución.

5. d) Todos son cosolventes.

6. c) Suspensión.

7. a) Emulsión.

8. a) Jarabes.

9. d) Todos son aerosoles.

10. a) Elixires.

11. c) Linimento.

12. b) Cremas.

13. c) Pastas.

14. c) Hidrogeles.

15. c) Ungüentos.

16. a) Nombre genérico.

17. a) Marca registrada.

18. b) Efecto terapéutico.

19. c) Efecto acumulativo.

20. d) Efecto acumulativo.

21. b) Comienzo de la acción.

22. b) Meseta.

23. c) Biotransformación biológica.

24. c) Orina.

25. d) Respiratoria.

26. a) Hígado.

27. d) Todas son correctas.

28. c) Frecuencia correcta.

29. b) Los fármacos orales son de absorción rápida.

30. d) Tomar un protector gástrico previo a la administración de un fármaco gastrolesivo.

31. c) Antihipertensivos.

32. b) Parte inferior del parpado (saco conjuntival).

33. c) Cardiópatas.

34. d) Vía intralinfática.

35. d) 5 cc.

36. d) 90º.

37. d) Todas son correctas.

38. d) Directo.

39. a) Porción inferior del antebrazo.

40. d) Regla de Fried.

41. d) 42 gotas por minuto.

42. a) 83 gotas por minuto.

43. c) 240 microgotas/minuto.

44. b) 40 microgotas/minuto.

45. a) Intravenosa.

46. c) Un círculo blanco y negro.

47. c) De 5º a 22º C.

48. c) Se remitirán a la farmacia para reemplazar por otros que dispongan de una caducidad mayor siempre que no sean de uso habitual.

49. c) Un problema de seguridad clínica de pacientes.

50. c) Que hay que guardar en frigorífico y mantener la cadena del frío.

TEST N.º 12

Atención del Auxiliar de Enfermería en las necesidades de eliminación: Generalidades. Recogida de muestras: tipos, manipulación, características y alteraciones. Sondajes, ostomías, enemas: Tipos, manipulación y cuidados

1. ¿Cuál es el órgano u órganos principales del aparato urinario, esencial por su función de filtrado?

a) Los riñones.
b) La vejiga.
c) Las glándulas suprarrenales.
d) Ninguno de los anteriores.

2. El transporte de la orina a la vejiga urinaria se realiza mediante:

a) Los riñones.
b) Los uréteres.
c) Las glándulas suprarrenales.
d) La uretra.

3. ¿Qué hormona renal interviene en el funcionamiento de un sistema regulador de la presión arterial?

a) Eritropoyetina.
b) Renina.
c) Aldosterona.
d) Renopresina.

4. Todo lo que se describe de los riñones es cierto, excepto que:

a) Pesan aproximadamente entre 110 y 180 g.
b) Tienen forma de habichuela.

c) Están situados en la región lumbar.
d) El riñón derecho está ligeramente más alto que el izquierdo.

5. ¿Qué estructuras entran y salen por el hilio renal?

a) Entran la arteria renal y el uréter, y salen la vena renal y el nervio renal.
b) Entran la arteria y el nervio renal, y salen la vena renal y el uréter.
c) Entran la vena y el nervio renal, y salen la arteria renal y el uréter.
d) Entran la vena renal y el uréter, y salen la arteria renal y el nervio renal.

6. La zona de la corteza renal situada entre cada dos pirámides se denomina:

a) Pirámide de Malpighi.
b) Columna de Bertín.
c) Papila renal.
d) Cáliz renal.

7. ¿Cómo se denomina la unidad anatomofuncional de los riñones?

a) Glomérulo.
b) Corpúsculo renal.
c) Nefrona.
d) Unidad anatomofuncional de Bowman.

8. ¿En el interior de qué estructura concreta se recoge la orina filtrada del glomérulo?

a) En la cápsula de Bowman.
b) En la red capilar.
c) En el asa de Henle.
d) En el espacio de Bowman.

9. ¿Qué forma tienen las asas de Henle?

a) De Y.
b) De T.
c) De U.
d) De S.

10. ¿Qué estructura conductora de estas desagua directamente en los cálices renales?

a) Asas de Henle.
b) Túbulos contorneados proximales (TCP).
c) Túbulos contorneados distales (TCD).
d) Túbulos colectores (TC).

11. ¿Qué estructura de la nefrona está situada en la médula renal?

a) TCD.
b) TCP.
c) Glomérulos.
d) Asas de Henle.

12. ¿Cómo se denomina el volumen de orina diario?

a) Poliuria.
b) Voliuria.
c) Enuresis.
d) Diuresis.

13. ¿Qué longitud aproximada tienen los uréteres (en cm)?

a) 10.
b) 15.
c) 20.
d) 30.

14. La uretra comienza en la vejiga urinaria en:

a) Su cara posterior.
b) Su vértice superior.
c) Sus caras laterales.
d) Su vértice inferior.

15. ¿Cuánto mide aproximadamente la uretra de una mujer (en cm)?

a) 20.
b) 12.
c) 8.
d) 4.

16. ¿Qué uretra de estas está en el pene?

a) Uretra prostática.
b) Uretra membranosa.
c) Uretra cavernosa.
d) La uretra no llega al pene.

17. ¿Qué valor de la densidad de la orina puede indicarnos una enfermedad renal grave?

a) Por debajo de 900.
b) Por debajo de 1010.

c) Por debajo de 1030.
d) Por debajo de 1070.

18. La diuresis normal está en torno a:

a) 500 ml.
b) 800 ml.
c) 1450 ml.
d) 2100 ml.

19. Si la emisión de orina es inferior a 500 ml diarios tendremos un caso de:

a) Poliuria.
b) Anuria.
c) Polaquiuria.
d) Oliguria.

20. Existe leucocituria si las cifras de glóbulos blancos en orina por mm^3 superan los:

a) 1000 leucocitos.
b) 2500 leucocitos.
c) 5000 leucocitos.
d) 8000 leucocitos.

21. Si orino muchas veces al día (aunque sea poco volumen) tengo una:

a) Poliuria.
b) Disuria.
c) Enuresis.
d) Polaquiuria.

22. Si me duele al orinar, tengo una:

a) Anuria.
b) Disuria.
c) Nicturia.
d) Polaquiuria.

23. La presencia de pus en la orina se denomina:

a) Bacteriuria.
b) Leucocitira.
c) Pusuria.
d) Piuria.

24. ¿Qué aspecto de los que se nombra presentará la orina con hepatitis vírica activa (ictericia)?

a) Amarillo oscuro.
b) Coluria.
c) Amarillo pálido.
d) Rojiza (hematuria).

25. El olor dulzón de la orina se observa en:

a) Proteinuria intensas.
b) Acetonurias (acetonemias).
c) La toma de ciertos medicamentos (vitaminas del grupo B).
d) La toma de ciertos alimentos (espárragos).

26. En condiciones normales, de la sangre se filtra en las nefronas todo lo que se expone excepto:

a) Agua.
b) Células y moléculas de mediano y alto peso molecular.
c) Glucosa.
d) Sal (cloruro sódico).

27. ¿Cuántos litros se filtran al día en los riñones?

a) 90.
b) 180.
c) 280.
d) 800.

28. ¿Cuánto se reabsorbe de agua del total filtrado (en %)?

a) 50 %.
b) 65 %.
c) 85 %.
d) 99 %.

29. ¿Cuánto se reabsorbe de urea del 100% filtrado en el TCP?

a) 50 %.
b) 65 %.
c) 85 %.
d) 99 %.

30. ¿Qué prueba permite valorar el buen funcionamiento del riñón?

a) Aclaramiento renal.
b) Densidad de orina.
c) Cuerpos en orina.
d) Tensión arterial.

31. ¿Qué hormona interviene con su presencia en una menor cantidad de orina por aumento en la reabsorción de agua?

a) Aldosterona.
b) ADH.
c) Renina.
d) DHA.

32. ¿Qué huesos de la cabeza intervienen en la formación del paladar duro?

a) Palatinos y maxilares.
b) Cigomáticos y maxilares.
c) Cigomáticos y palatinos.
d) Unguis y palatinos.

33. ¿Qué papilas de la lengua forman la V lingual?

a) Caliciformes.
b) Filiformes.
c) Mucosas.
d) Fungiformes.

34. ¿Qué papilas linguales de estas no son gustativas?

a) Caliciformes.
b) Filiformes.
c) Fungiformes.
d) Todas son gustativas.

35. ¿Qué estructura dentaria presenta una corona cuadrangular con dos cúspides y raíz simple?

a) Incisivo.
b) Canino.
c) Premolar.
d) Molar.

36. ¿Qué músculo forma el esfínter esofágico superior?

a) El músculo hioideofaríngeo.
b) El músculo tirocricoideo.

c) El músculo cricofaríngeo.
d) Ninguno de los anteriores.

37. ¿Qué esfínter delimita el final del esófago y el comienzo del estómago?

a) Píloro.
b) Zenker.
c) Cardias.
d) Bahuin.

38. ¿Qué mide, en condiciones normales, las asas intestinales (intestino delgado) en un adulto (en metros)?

a) 2 a 3.
b) 4 a 5.
c) 6 a 7.
d) 9 a 10.

39. ¿Qué porción del intestino grueso cruza la cavidad abdominal de derecha a izquierda?

a) Recto.
b) Ciego.
c) Colon sigmoideo.
d) Colon transverso.

40. ¿Cómo se denomina el conducto principal del páncreas secretor de jugo pancreático a duodeno?

a) Conducto de Vater.
b) Conducto de Santorini.
c) Conducto de Wirsung.
d) Conducto de Bahuin.

41. Sinónimo de ptialismo es:

a) Sialonco.
b) Sialorrea.
c) Sialosquesis.
d) Sialodoquitis.

42. El peso del hígado (en gramos) de un adulto está en torno a los:

a) 950 gr.
b) 1200 gr.

c) 1500 gr.
d) 2500 gr.

43. ¿Cuánta saliva se produce al día (en cc)?

a) 1.000 cc.
b) 1.500 cc.
c) 2.500 cc.
d) 500 cc.

44. ¿Cómo se denomina el paso del bolo de faringe a esófago?

a) Tragación.
b) Masticación.
c) Maceración.
d) Deglución.

45. ¿Qué fermento digestivo proteolítico se produce en el estómago?

a) Pepsina.
b) Tripsina.
c) Quimiotripsina.
d) Proteasas.

46. ¿En qué zona del intestino delgado se absorbe más sodio?

a) Duodeno.
b) Íleon.
c) Yeyuno.
d) Ciego.

47. ¿Qué compuesto es el mayoritario en las heces (masa fecal) en condiciones normales?

a) Fibra.
b) Grasa.
c) Proteína.
d) Agua.

48. ¿Qué tipo de incontinencia urinaria es la más frecuente?

a) Incontinencia de esfuerzo o estrés.
b) Incontinencia de urgencia.
c) Incontinencia neurológica.
d) Incontinencia paradójica.

49. ¿Qué es la presencia de hematuria asociada a alteraciones agudas de la función renal, tales como: oliguria, retención nitrogenada o descenso del filtrado glomerular, así como la formación de edemas y/o hipertensión transitoria?

a) Síndrome nefrítico.
b) Preeclampsia.
c) Incontinencia urinaria.
d) Pielonefritis.

50. ¿A partir de qué edad en los varones se hace muy frecuente la hipertrofia benigna de próstata?

a) A partir de los 30 años.
b) A partir de los 40 años.
c) A partir de los 50 años.
d) A partir de los 60 años.

51. ¿Qué cálculos cálcicos son los más frecuentes en las litiasis renales?

a) Cálculos de cistina.
b) Cálculos de uratos.
c) Cálculos de oxalatos.
d) Cálculos de xantina.

52. El aumento anormal de la concentración sanguínea en los productos de desecho nitrogenados se denomina:

a) Azoemia.
b) Acreatinemia.
c) Lipasemia.
d) Uricemia.

53. ¿Cómo se denomina la segunda fase de una insuficiencia renal aguda?

a) Oligúrica.
b) Anúrica.
c) Diurética.
d) De recuperación.

54. ¿Qué porcentaje de nefronas como mínimo deben de haberse perdido si el sujeto después de una insuficiencia renal crónica pasa al estadio final de la misma?

a) El 65 %.
b) El 75 %.
c) El 85 %.
d) El 91 %.

55. ¿Qué enfermedad es muy parecida a la colitis ulcerosa, pero además de al colon afecta a más zonas del tubo digestivo?

a) Colitis funcional.
b) Colon irritable.
c) Enfermedad de Crohn.
d) Enfermedad de Brooke.

56. Respecto al sangrado de las hemorroides externas diremos que:

a) Sangran durante la defecación.
b) Las heces son negras (melenas).
c) Raramente sangran.
d) Nunca, si se da son de color rojo brillante.

57. ¿Qué tipo de diarrea daría la enfermedad celíaca?

a) Diarreas osmóticas.
b) Diarreas secretoras.
c) Diarreas motoras.
d) Diarreas inflamatorias.

58. ¿Cuántas cucharadas por litro poseerán los enemas de agua con aceite (enemas de limpieza o evacuantes)?

a) 4.
b) 8.
c) 12.
d) 15.

59. Los enemas oleosos o emolientes deben ir a la temperatura de:

a) 25 ºC.
b) 28 ºC.
c) 30 ºC.
d) 37 ºC.

60. En los enemas medicamentosos la cantidad de solución medicamentosa será, como máximo, de:

a) 90 ml.
b) 180 ml.
c) 320 ml.
d) 780 ml.

61. Para poder realizar un estudio radiológico del intestino grueso emplearemos un enema:

a) Medicamentoso.
b) Opaco.
c) De Harris.
d) De Murphy.

62. ¿Cuál de estas es una razón para aplicar un enema en un paciente con colostomía?

a) Preparación para cirugía.
b) Evacuación en caso de estreñimiento.
c) Preparación para pruebas radiológicas.
d) Son todas las anteriores.

63. ¿Qué volumen poseerá la jeringa de alimentación que se emplea en sondaje nasogástrico?

a) De 5 a 10 ml.
b) De 10 a 25 ml.
c) De 50 a 100 ml.
d) De 150 a 300 ml.

64. ¿En qué posición se colocará a un paciente en sondaje nasogástrico?

a) Roser.
b) Fowler.
c) SIMS izquierdo.
d) Morestin.

65. ¿Qué sonda nasogástrica es la más empleada? Sonda de...

a) Salem.
b) Cantor.
c) Levin.
d) Foucher.

66. ¿Qué sonda esofagogástrica es la más empleada en hemorragias por roturas de varices esofágicas?

a) Millet-Abbot.
b) Cantor.
c) Foucher.
d) Sengstaken.

67. ¿Qué se usa para evacuar los gases del intestino ante un intenso meteorismo?

a) Sonda rectal.
b) Enema de limpieza.
c) Sonsa nasogástrica.
d) Nada.

68. Las sondas de Foley son:

a) Blandas.
b) Duras.
c) Rígidas.
d) Semirrígidas.

69. ¿Cuál de estas es una ostomía de eliminación?

a) Gastrostomía.
b) Yeyunostomía.
c) Cecostomía.
d) Esofagostomía.

70. ¿Cómo se denomina la urostomía que deriva la orina desviándola de la pelvis renal mediante un catéter hacia un flanco del cuerpo a través de una incisión?

a) Nefrostomía.
b) Ureteroileostomía
c) Citostomía.
d) Ureterosigmoidostomía.

71. ¿Qué se entiende como muestra biológica?

a) Cualquier parte de un tejido,
b) Cualquier parte de la sangre.
c) Cualquier otro producto de excreción, o de secreción,
d) Todas las anteriores son ciertas.

72. ¿En qué tipo de muestras biológicas se realizan la mayoría de las pruebas de laboratorio?

a) Líquidos corporales.
b) Exudados.
c) Tejidos.
d) Heces.

73. ¿Qué tipo de muestras biológicas son los líquidos liberados por el organismo que no son normales y se originan por una patología subyacente?

a) Líquidos corporales.
b) Exudados.
c) Tejidos.
d) Elementos de desecho.

74. ¿Qué envases se emplean para muestras cuya recogida sea menos dificultosa, y con ello logramos disminuir la posibilidad de contaminación?

a) Frasco de boca ancha.
b) Hisopo.
c) Jeringa.
d) Frasco de boca estrecha.

75. ¿Qué procedimiento de toma de muestra se emplea más habitualmente cuando estas se llevan a cabo tanto en orificios naturales como en heridas?

a) Mediante frasco de boca ancha.
b) Mediante hisopo.
c) Mediante jeringa.
d) Mediante frasco de boca estrecha.

76. ¿Qué tipo de envase se emplea generalmente para toma de muestras de heces?

a) Frasco de boca ancha.
b) Hisopo.
c) Frasco de boca mediana.
d) Frasco de boca estrecha.

77. ¿Qué volumen aproximado posee el frasco de boca ancha que se utiliza para la toma de muestra de orina (en ml) para urocultivo?

a) 350.
b) 150.
c) 50.
d) 15.

78. ¿Qué se puede hacer para evitar una excesiva proliferación bacteriana en una toma de muestra y que así no se altere sustancialmente su resultado analítico?

a) Realizarla con premura, ya que no admite demora.
b) Refrigerando la muestra en los casos necesarios.
c) No se suele hacer nada en particular.
d) Son ciertas las respuestas a) y b).

79. ¿Qué son bacterias anaeróbicas?

a) Aquellas que crecen en presencia de oxígeno.
b) Aquellas que crecen en ausencia de oxígeno.
c) Aquellas que crecen en ausencia de CO_2.
d) Son ciertas las respuestas a) y c).

80. ¿Qué medio evita la desecación y muerte de los microorganismos recogidos con un hisopo estéril?

a) El medio de Schwann.
b) El medio de Petri.
c) El medio de Stuart.
d) El medio de Lindor.

81. ¿Qué normativa de investigación biomédica define muestra como medio material del diagnóstico clínico y describe el material humano que cumple la definición?

a) Ley 14/2007.
b) Ley 22/2015.
c) Real Decreto 344/2009.
d) Real Decreto 431/2012.

82. ¿Qué se debe identificar y comprobar ante de los procedimientos de toma de muestra?

a) Usuario al que se le va a realizar los procedimientos.
b) Impresos y protocolos de petición analítica.
c) Requerimientos y preparación previa del paciente.
d) Todo lo anterior.

83. ¿Cuándo se lleva a cabo el protocolo de actuación en la recogida y transporte de la muestra biológica en el momento de estar atento para dar ayuda física a la persona para que adopte la postura más adecuada en la obtención de la misma?

a) Antes de los procedimientos.
b) Durante los procedimientos.
c) Tras los procedimientos.
d) No debe de llevarse a cabo esta práctica.

84. Tras los procedimientos necesarios en la recogida y transporte de la muestra biológica es necesario:

a) Aplicar las medidas necesarias para que no existan riesgos posteriores a la obtención de las muestras, de forma que el usuario tenga el máximo de comodidad y el mínimo de inconvenientes.
b) Observar con toda atención la posible aparición de reacciones adversas en el usuario, especialmente si la obtención ha sido traumática, compleja, delicada o difícil.

c) Anotar toda la información que se requiera en los registros de Enfermería y en aquellos otros que fuese necesario en cada caso.
d) Todo lo anterior es cierto.

85. Se da hemodilución si coexiste:

a) Hipovolemia y oligositemia.
b) Hipovolemia e hipersitemia.
c) Hipervolemia y oligositemia.
d) Hipervolemia e hipersitemia.

86. Todo lo que se expone de la viscosidad de la sangre es cierto, excepto que:

a) La sangre posee viscosidad.
b) La sangre venosa es menos viscosa que la arterial, ya que posee más CO_2 que la segunda.
c) la viscosidad de la sangre depende de su contenido en células y del tamaño de las mismas.
d) El aumento de los niveles normales de proteínas en sangre, la hacen más viscosa.

87. ¿Qué arterias se emplean más frecuentemente para una punción arterial necesaria para realizar una gasometría arterial?

a) Arteria radial y humeral.
b) Arteria cubital y arco carpiano.
c) Arteria poplítea y gemelar.
d) Arteria tibial y peronea.

88. ¿Para qué estudio se emplea el tubo donde se toma la muestra de sangre venosa con tapón de color verde?

a) Hemograma.
b) Inmunología y bioquímica.
c) Pruebas de alcoholemia.
d) Estudios de velocidad de sedimentación globular.

89. ¿Qué color presenta el tapón del frasco que se emplea en la toma de la muestra de sangre venosa para estudios de coagulación?

a) Violeta.
b) Negro.
c) Azul.
d) Rojo.

90. ¿Qué anticoagulante se emplea más habitualmente en los útiles y frascos empleados para las tomas de muestras sanguíneas?

a) Heparina.
b) Penicilina.

c) Metotrexate.
d) Clorhídrico.

91. La orina de color "coñac" se debe a que posee exceso de:

a) Bilurrubina directa.
b) Microhematuria o escasa hematuria.
c) Cobre.
d) Nada de lo anterior es cierto.

92. ¿Qué volumen (en litros) poseerán los frascos que se utilizan en la toma de muestra de orina de 24 horas?

a) 0,5.
b) 1.
c) 2.
d) 3,5.

93. La orina o volumen de orina de 24 horas es:

a) La enuresis.
b) La diuresis.
c) La anuria.
d) La voluria.

94. ¿En qué circunstancias se debe conservar la muestra de orina para urocultivo si no puede ser procesada inmediatamente?

a) Se debe de mantener a una temperatura de (- 5 ºC), no más de 24 horas.
b) Se debe de mantener a una temperatura de 0 ºC, no más de 24 horas.
c) Se debe de mantener a una temperatura de 4 ºC, no más de 24 horas.
d) Se debe de mantener a una temperatura de 10 ºC, no más de 48 horas.

95. ¿Qué es falso del procedimiento de la toma de muestra de orina para analítica?

a) Se descarta una pequeña cantidad de orina al principio de la micción en hombres y mujeres.
b) Se recoge la muestra de la mitad de la micción en un recipiente estéril, el cual se cierra inmediatamente.
c) En las mujeres se limpia la vulva con una solución limpiadora, de atrás hacia delante.
d) Si no se dispone de solución limpiadora, es adecuada la utilización de agua y jabón.

96. ¿Cómo se denomina el estudio microbiológico de heces mediante cultivo?

a) Hemocultivo.
b) Urocultivo.
c) Coprocultivo.
d) Cultivo de Hiss.

97. ¿Qué período máximo de tiempo (en minutos) no debe superarse en enviar al laboratorio una muestra de heces para su estudio, si esta no va a ser conservada en nevera?

a) 15.
b) 30.
c) 90.
d) 120.

98. Los parches de Jacobs o paneles adhesivos se emplean en:

a) Estudio bacteriológico de heces.
b) Estudio parasitológico de heces.
c) Estudio o examen de oxiuros en heces.
d) Estudio bioquímico de heces.

99. ¿Qué no debe de tomarse o comer durante días previos a un estudio de sangre oculta en heces para realizar adecuadamente el procedimiento de toma de muestra de la misma?

a) Aspirina.
b) Alimentos picantes.
c) Tomates y rábanos.
d) No debe de tomarse nada de lo anterior.

100. ¿Qué color tendrán las heces de sospecha de sangrado del tracto inferior gastrointestinal?

a) Marrones.
b) Negras.
c) Blancas.
d) Rojas.

101. ¿Qué trastorno indica generalmente la presencia de unas heces blancas (acolia)?

a) Sospecha de sangrado del tracto superior gastrointestinal.
b) Sospecha de obstrucción biliar.
c) Sospecha de infección intestinal.
d) Sospecha de alteración peristáltica a nivel intestinal.

102. ¿Cuántos días se recomienda tomar las muestras de esputos si estas se van a emplear para estudio microbiológico?

a) La de un día, solo de mañana.
b) La de un día, tomando 2, una de mañana y otra de tarde.

c) La de dos días.
d) La de tres días.

103. ¿Qué circunstancia patológica o tipo de esputo es aquel que presenta un aspecto blanquecino y es muy adherente con predominio del moco?

a) Seroso.
b) Mucoso.
c) Purulento.
d) Sanguinolento.

104. En la tuberculosis pulmonar el esputo es generalmente:

a) Seroso y sanguinolento.
b) Seroso y purulento.
c) Mucoso y sanguinolento.
d) Purulento y mucoso.

105. ¿Qué circunstancia patológica condiciona generalmente la aparición de un vómito extragástrico?

a) Gastritis aguda.
b) Cáncer gástrico.
c) Apendicitis aguda.
d) Todos los estímulos anómalos son de origen extragástrico.

106. ¿Cómo se denominan los vómitos acaecidos después de comer?

a) Vómitos postprandiales.
b) Vómitos vespertinos.
c) Vómitos matutinos.
d) Vómitos nocturnos.

107. Respecto al análisis del jugo gástrico mediante su toma de muestra por drenaje gástrico, todo es cierto, excepto que:

a) En los análisis gástricos no existen intervalos de normalidad estrictamente delimitados.
b) Existen pruebas más útiles para establecer el diagnóstico de patología gástrica que el análisis del jugo gástrico.
c) El análisis del jugo gástrico se realiza con bastante frecuencia.
d) A pesar de que la técnica no es agresiva, la entubación puede ser desagradable e incluso traumática para el paciente.

108. ¿Qué forma es la más correcta de obtener la muestra en heridas con exudados y pus, para su posterior estudio?

a) Mediante hisopos.
b) Mediante parches adhesivos.
c) Mediante aspirado con aguja y jeringa.
d) Mediante escopia cutánea.

109. ¿Qué volumen aproximado poseerá la muestra de exudado en heridas (en ml) si obviamente esta es líquida?

a) 1 a 10.
b) 5 a 20.
c) 15 a 30.
d) > 30.

110. Respecto a la toma de muestra de exudado de abscesos todo es cierto, excepto que:

a) El médico o enfermero llevará a cabo el procedimiento de toma de muestra.

b) El auxiliar de enfermería podrá también llevar a cabo el procedimiento de toma de muestra, y nunca se encargará de preparar el material necesario para la toma de la misma.

c) La cantidad mínima necesaria para que la muestra sea adecuada se encuentra entre 5 y 10 ml.

d) En caso de no ser posible el envío inmediato se debe conservar en estufa a 35-37 ºC y, si no existiese estufa, se mantiene a temperatura ambiente.

111. ¿Qué coloraciones presenta la xantocromía en el LCR?

a) Coloraciones marrones-amarillentas.
b) Coloraciones amarillentas-rosáceas.
c) Coloraciones azuladas.
d) Coloraciones violáceas.

112. ¿Qué aspecto le da al LCR el hecho de que exista una infección en el SNC?

a) Transparencia.
b) Amarillez.
c) Turbidez.
d) Color rojizo.

113. ¿Por debajo de qué vértebra lumbar es necesario como mínimo hacer la punción lumbar?

a) Por debajo de la lumbar 2.
b) Por debajo de la lumbar 3.

c) Por debajo de la lumbar 4.
d) Por debajo de la lumbar 5.

114. ¿En qué circunstancias la presión del LCR estará disminuida?

a) Infarto cerebral.
b) Tumor o quiste intracraneal.
c) Deshidratación.
d) Hematoma subdural.

115. ¿Qué es una toracocentesis?

a) Un procedimiento de punción pleural.
b) Un procedimiento de toma de presión de circuito menor o sistema pulmonar.
c) Un procedimiento de toma de presión de venas centrales.
d) Es un drenaje toracoabdominal.

116. ¿Qué procedimiento se llevará a cabo en la toma de muestra de secreciones de senos paranasales?

a) Mediante hisopo.
b) Mediante torunda.
c) Mediante punción del seno.
d) Mediante aspirado transtraqueal.

117. Ante la sospecha en piel de infección por hongo, la toma de muestra se efectuará mediante:

a) Aspiración.
b) Uso de hisopo.
c) Raspado con bisturí o lanceta.
d) Uso de torunda húmeda.

Solución al test n.º 19

1. a) Los riñones.

2. b) Los uréteres.

3. b) Renina.

4. d) El riñón derecho está ligeramente más alto que el izquierdo.

5. b) Entran la arteria y el nervio renal, y salen la vena renal y el uréter.

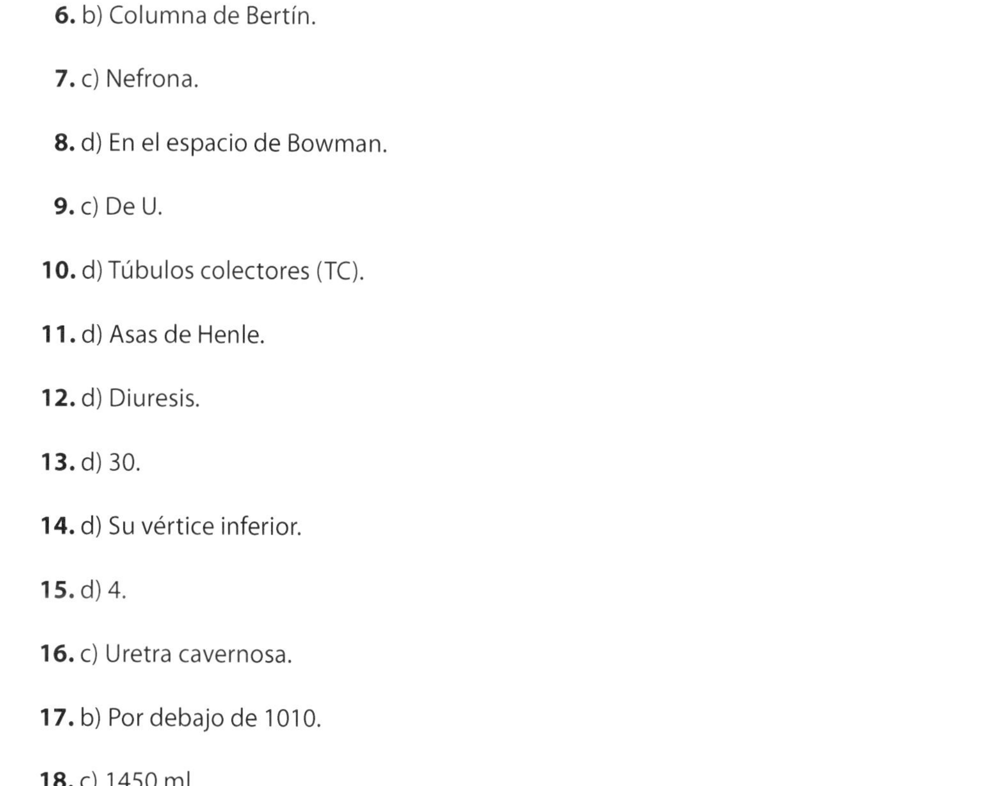

6. b) Columna de Bertín.

7. c) Nefrona.

8. d) En el espacio de Bowman.

9. c) De U.

10. d) Túbulos colectores (TC).

11. d) Asas de Henle.

12. d) Diuresis.

13. d) 30.

14. d) Su vértice inferior.

15. d) 4.

16. c) Uretra cavernosa.

17. b) Por debajo de 1010.

18. c) 1450 ml.

19. d) Oliguria.

20. c) 5000 leucocitos.

21. d) Polaquiuria.

22. b) Disuria.

23. d) Piuria.

24. b) Coluria.

25. b) Acetonurias (acetonemias).

26. b) Células y moléculas de mediano y alto peso molecular.

27. b) 180.

28. d) 99 %.

29. a) 50 %.

30. a) Aclaramiento renal.

31. b) ADH.

32. a) Palatinos y maxilares.

33. a) Caliciformes.

34. c) Fungiformes.

35. c) Premolar.

36. c) El músculo cricofaríngeo.

37. c) Cardias.

38. c) 6 a 7.

39. d) Colon transverso.

40. c) Conducto de Wirsung.

41. b) Sialorrea.

42. c) 1500 gr.

43. b) 1.500 cc.

44. d) Deglución.

45. a) Pepsina.

46. c) Yeyuno.

47. d) Agua.

48. a) Incontinencia de esfuerzo o estrés.

49. a) Síndrome nefrítico.

50. c) A partir de los 50 años.

51. c) Cálculos de oxalatos.

52. a) Azoemia.

53. c) Diurética.

54. d) El 91 %.

55. c) Enfermedad de Crohn.

56. c) Raramente sangran.

57. a) Diarreas osmóticas.

58. a) 4.

59. d) 37 ºC.

60. b) 180 ml.

61. b) Opaco.

62. d) Son todas las anteriores.

63. c) De 50 a 100 ml.

64. b) Fowler.

65. c) Levin.

66. d) Sengstaken.

67. a) Sonda rectal.

68. a) Blandas.

69. c) Cecostomía.

70. a) Nefrostomía.

71. d) Todas las anteriores son ciertas.

72. a) Líquidos corporales.

73. b) Exudados.

74. d) Frasco de boca estrecha.

75. b) Mediante hisopo.

76. a) Frasco de boca ancha.

77. b) 150.

78. d) Son ciertas las respuestas a) y b).

79. b) Aquellas que crecen en ausencia de oxígeno.

80. c) El medio de Stuart.

81. a) Ley 14/ 2007.

82. d) Todo lo anterior.

83. b) Durante los procedimientos.

84. d) Todo lo anterior es cierto.

85. c) Hipervolemia y oligositemia.

86. b) La sangre venosa es menos viscosa que la arterial, ya que posee más CO_2 que la segunda.

87. a) Arteria radial y humeral.

88. b) Inmunología y bioquímica.

89. c) Azul.

90. a) Heparina.

91. a) Bilurrubina directa.

92. c) 2.

93. b) La diuresis.

94. c) Se debe de mantener a una temperatura de 4 ºC, no más de 24 horas.

95. c) En las mujeres se limpia la vulva con una solución limpiadora, de atrás hacia delante.

96. c) Coprocultivo.

97. b) 30.

98. c) Estudio o examen de oxiuros en heces.

99. d) No debe de tomarse nada de lo anterior.

100. d) Rojas.

101. b) Sospecha de obstrucción biliar.

102. d) La de tres días.

103. b) Mucoso.

104. c) Mucoso y sanguinolento.

105. c) Apendicitis aguda.

106. a) Vómitos postprandiales.

107. c) El análisis del jugo gástrico se realiza con bastante frecuencia.

108. c) Mediante aspirado con aguja y jeringa.

109. a) 1 a 10.

110. b) El auxiliar de enfermería podrá también llevar a cabo el procedimiento de toma de muestra, y nunca se encargará de preparar el material necesario para la toma de la misma.

111. b) Coloraciones amarillentas-rosáceas.

112. c) Turbidez.

113. a) Por debajo de la lumbar 2.

114. c) Deshidratación.

115. a) Un procedimiento de punción pleural.

116. c) Mediante punción del seno.

117 c) Raspado con bisturí o lanceta.

TEST N.º 13

Atención del Auxiliar de Enfermería al paciente con oxigenoterapia: Métodos de administración de oxígeno, precauciones y métodos de limpieza de material

1. La inflamación de los senos paranasales es conocida como:

a) Maxilitis.
b) Sinusitis.
c) Nasalitis.
d) Bronquiolitis.

2. Las paredes de la laringe están formadas por:

a) Cartílagos laríngeos.
b) Músculos de la laringe.
c) Cuerdas vocales.
d) Todas son correctas.

3. De los siguientes cartílagos que forman las paredes de la laringe, ¿cuál es impar y único?

a) Aritenoide.
b) Corniculado.
c) Cuneiforme.
d) Cricoide.

4. La laringe es un órgano del aparato respiratorio que se encuentra situado a nivel de:

a) Las vértebras dorsales 3 y 5.
b) Las vértebras cervicales 1 y 2.
c) Las vértebras dorsales 1 y 2.
d) Las vértebras cervicales 4 y 6.

5. El órgano del aparato respiratorio que está formado por anillos cartilaginosos en forma de C, se llama:

a) Faringe,
b) Tráquea.
c) Laringe.
d) Pleura.

6. Entre las funciones de la tráquea y los bronquios, no se encuentra:

a) Transportar el aire entre el exterior y el interior de los pulmones.
b) Calentar el aire transportado.
c) Humedecer el aire transportado.
d) Favorecer los movimientos respiratorios del pulmón facilitando así la respiración.

7. En la circulación pulmonar o menor la sangre pobre en oxígeno abandona el ventrículo derecho del corazón en dirección a los pulmones. ¿Cuáles son los vasos sanguíneos encargados de este proceso?

a) Venas pulmonares.
b) Arterias pulmonares.
c) Venas bronquiales.
d) Arterias alveolares.

8. El intercambio de gases que se produce en los pulmones al respirar, se conoce como:

a) Respiración.
b) Hematosis.
c) Inspiración.
d) Espiración.

9. ¿Cuál de los siguientes músculos que participan en la respiración es considerado como el más importante de este proceso?

a) Diafragma.
b) Intercostales internos.
c) Intercostales externos.
d) Espiratorios abdominales.

10. El volumen de aire que entra y sale del aparato respiratorio en un minuto se conoce como:

a) Ventilación pulmonar.
b) Volumen de reserva espiratoria.

c) Volumen residual.
d) Frecuencia respiratoria.

11. En condiciones normales, la capacidad pulmonar total es de:

a) 5,5 litros.
b) 4,5 litros.
c) 3,5 litros.
d) 1,5 litros.

12. En la composición del aire alveolar no se encuentra:

a) Nitrógeno.
b) Oxígeno.
c) Galio sódico.
d) Dióxido de carbono.

13. El ventimask es:

a) Una mascarilla oronasal.
b) Unas gafas nasales.
c) Una tienda de oxígeno.
d) Una campana de oxígeno.

14. El VR (volumen residual) pulmonar es de:

a) 1.200-1.500 ml.
b) 500 ml.
c) 5 l.
d) 1.000 ml.

15. Dentro de los volúmenes pulmonares estáticos consideramos como volumen corriente:

a) El número de veces que respiramos en un minuto o unidad de tiempo.
b) El volumen de aire que entra y sale del aparato respiratorio en un minuto.
c) La cantidad de aire que entra y sale del pulmón, durante una respiración normal en situación de reposo.
d) La cantidad máxima de aire expulsada por los pulmones al final de una espiración normal.

16. Teniendo como referencia los volúmenes pulmonares, ¿qué entendemos por volumen de reserva espiratorio?

a) El número de veces que respiramos en un minuto o unidad de tiempo.
b) El volumen de aire que entra y sale del aparato respiratorio en un minuto.

c) La cantidad de aire que entra y sale del pulmón, durante una respiración normal en situación de reposo.

d) La cantidad máxima de aire expulsada por los pulmones al final de una espiración normal.

17. Consideramos el espacio muerto anatómico al volumen de aire que ocupa las vías respiratorias durante la respiración y que no va a llegar a los alveolos pulmonares, y en consideraciones normales es de:

a) 0,15 litro.
b) 0,5 litro.
c) 1 litro.
d) 1,5 litros.

18. El volumen de aire que entra en los pulmones durante una respiración es de 0,5 l, si la frecuencia respiratoria es en condiciones normales de 15 respiraciones/minuto el volumen respiratorio/minuto será de:

a) 4,5 l.
b) 5,5 l.
c) 6,5 l.
d) 7,5 l.

19. A la hora de valorar una insuficiencia respiratoria en un paciente utilizamos la anamnesis, la exploración física, la pulxiometría, la gasometría, etc. Si un paciente presenta una saturación de oxígeno del 94%, ¿cómo actuaríamos?

a) No requiere una actuación urgente.

b) Actuación urgente, tratamiento y monitorización de la respuesta al mismo. Los pacientes con enfermedad respiratoria crónica toleran bien saturaciones en torno a estos valores.

c) Se considera un enfermo grave. Hipoxia severa. Oxigenoterapia+ tratamiento.

d) Estudio por parte del facultativo de la posibilidad de intubación y ventilación mecánica.

20. La Enfermedad Pulmonar Obstructiva Crónica es una entidad nosológica que engloba la:

a) Bronquitis crónica y el enfisema.
b) Bronquitis crónica y el asma bronquial.
c) Bronquitis crónica y la bronquiectasia.
d) Bronquitis crónica y neumonía.

21. El factor de riesgo que más presente está en los casos de Enfermedad Pulmonar Obstructiva Crónica (EPOC) es:

a) La exposición laboral como al amianto, carbón en las minas, etc.
b) Factores genéticos.
c) Contaminación atmosférica.
d) Consumo de tabaco.

22. Cuando una persona padece hipersecreción bronquial crónica junto con tos productiva, durante un mínimo de tres meses al año, en al menos dos años consecutivos, hablamos de:

a) Asma bronquial.
b) Bronquitis crónica.
c) Enfisema pulmonar.
d) Tuberculosis.

23. En el enfisema se producen una serie de alteraciones, señalar la incorrecta:

a) Cambios destructivos en las paredes de los alveolos.
b) Aumento de los espacios aéreos distales.
c) Disminución de la adaptabilidad pulmonar.
d) Aumento de las resistencias de las vías aéreas.

24. En la clínica del asma bronquial se habla de una tríada típica de síntomas que incluiría los siguientes, excepto:

a) Disnea.
b) Tos.
c) Esputo purulento.
d) Sibilancias de forma episódica.

25. El proceso inflamatorio con condensación en los espacios alveolares, provocando exudado en los mismos, se denomina:

a) Bronquitis.
b) Neumonía.
c) Enfisema.
d) Asma.

26. La tuberculosis es una enfermedad que se transmite principalmente por vía:

a) Hemática.
b) Contacto.
c) Respiratoria.
d) Oral-fecal.

27. De las siguientes afirmaciones sobre la tuberculosis, es incierto que:

a) Es provocada por un bacilo.
b) Es contagiosa.
c) Cursa con ausencia de hemoptisis ni tos.
d) La fiebre y la disminución de peso son manifestaciones muy comunes.

28. Valorando un paciente en la consulta de enfermería con disnea, utilizamos para ello la escala de Sadoul y el resultado final es de nivel 4; ¿qué significa este dato?

a) Que aparece la disnea al realizar esfuerzos importantes o al subir hasta un segundo piso o más.
b) Que aparece la disnea en la marcha en llano lenta, el sujeto sólo es capaz de marchar lentamente.
c) Que aparece la disnea al menor esfuerzo (hablar, afeitarse...).
d) Que aparece la disnea al subir pendientes o al subir un piso.

29. ¿Cuál de las siguientes patologías respiratorias es la principal causa de neumotórax espontáneo secundario?

a) Neumonía extrahospitalaria.
b) EPOC.
c) Bronquiectasias.
d) Carcinoma broncoalveolar.

30. El oxígeno se administra habitualmente a los enfermos:

a) Mezclado con aire.
b) En estado puro.
c) Humidificado.
d) A y c son correctas.

31. La oxigenoterapia está indicada en:

a) Insuficiencia respiratoria.
b) Intoxicaciones por gases bloqueantes de la hematosis.
c) Situaciones de asfixia.
d) Todos los casos anteriores.

32. Las balas de oxígeno:

a) Contienen oxígeno a presión superior a 1 atmósfera.
b) Son de diferentes tamaños.
c) Constituyen el sistema más utilizado a la cabecera del paciente en grandes hospitales.
d) A y b son correctas.

33. El frasco humidificador:

a) Contiene agua destilada.
b) Contiene aire solamente.
c) No es necesario utilizarlo cuando se toma el oxígeno de la Central de Oxígeno.
d) Todas son correctas.

34. Las bombonas o balas de oxígeno utilizadas en oxigenoterapia contiene el gas a:

a) Una presión igual a la atmosférica.
b) Una presión menor a la atmosférica.
c) Una presión mayor a la atmosférica.
d) Una presión mínima.

35. ¿Cuál de los siguientes dispositivos de administración produce la concentración de oxígeno más alta?

a) Mascarilla Venturi.
b) Mascarilla con bolsa de reservorio.
c) Mascarilla de traqueotomía.
d) Mascarilla oronasal de no reinhalación.

36. La tienda de oxígeno se usa:

a) En adultos sobre todo.
b) En niños pequeños.
c) Cuando interesa que quede fuera de la tienda el resto del cuerpo.
d) En todos los casos.

37. Las mascarillas de administración de oxígeno están preparadas para administrar una concentración que puede oscilar entre:

a) 24-50%.
b) 28-30%.
c) 30-33%.
d) 33-36%.

38. Para evitar accidentes durante la administración de oxígeno hay que tomar, entre otras, algunas medidas importantes. ¿Cuál de ellas considera que no es necesaria?

a) Evitar fumar al lado del paciente.
b) Controlar la temperatura de la habitación.
c) Ajustar el flujo, humedad y concentración de oxígeno a lo que ha prescrito el facultativo.
d) Todas son necesarias.

39. ¿Qué tipo de ventilación mecánica no invasiva posibilita una presión positiva continua en las vías respiratorias sin utilizar un ventilador?

a) BIPAP.
b) CPAP.
c) NIPSV.
d) PEEP.

40. El tamaño del tubo que empleamos en intubación orotraqueal está codificado por números; ¿cuál es el tamaño normal que se utiliza en el varón?

a) 7,5.
b) 8.
c) 8,5.
d) 9.

41. ¿Cuál de los siguientes aparatos es utilizado para la intubación?

a) Oftalmoscopio.
b) Rinoscopio.
c) Laringoscopio.
d) Otoscopio.

42. El drenaje postural:

a) Es la implantación de un catéter en el espacio pleural.
b) Se emplea en pacientes con exceso de volumen circulante.
c) Sólo lo puede realizar el médico especialista.
d) Se utiliza para la eliminación de secreciones traqueobronquiales.

43. Cuando se produce una elevación de la cantidad de dióxido de carbono en la sangre por encima de los valores normales, se denomina:

a) Hipocapnia.
b) Hiperoxia.
c) Hipercapnia.
d) Fiperoxia.

44. ¿Cuál de las siguientes características se corresponde con la acidosis metabólica?

a) Una concentración de bicarbonato baja y un PH bajo.
b) Una concentración de bicarbonato baja y un PH alto.
c) Una concentración de bicarbonato alta y un PH bajo.
d) Una concentración de bicarbonato alta y un PH alto.

Solución al test n.º 13

1. b) Sinusitis.

2. d) Todas son correctas.

3. d) Cricoide.

4. d) Las vértebras cervicales 4 y 6.

5. b) Tráquea.

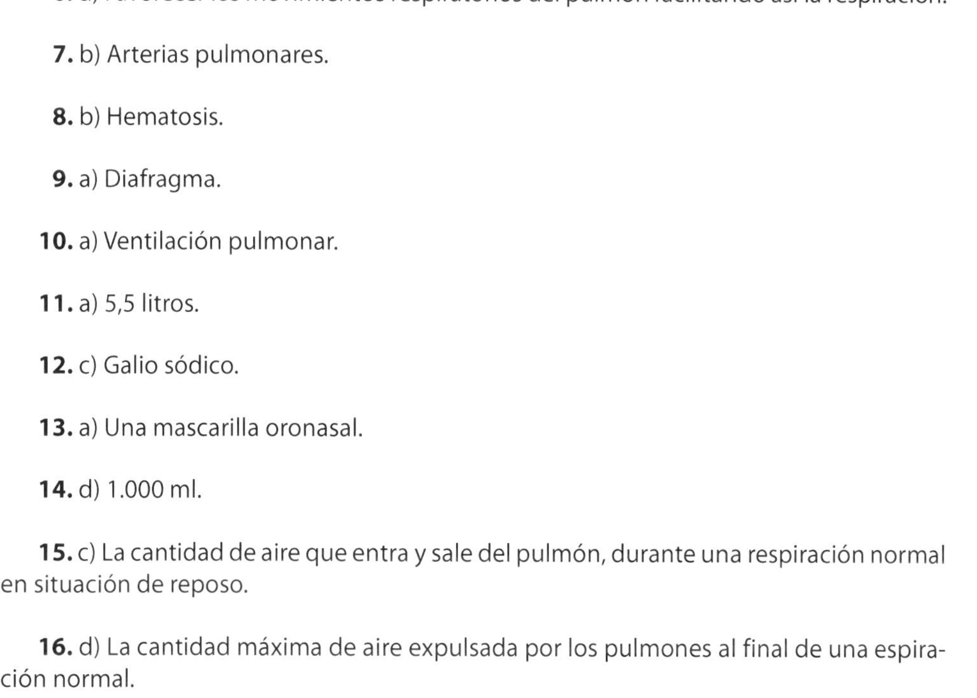

6. d) Favorecer los movimientos respiratorios del pulmón facilitando así la respiración.

7. b) Arterias pulmonares.

8. b) Hematosis.

9. a) Diafragma.

10. a) Ventilación pulmonar.

11. a) 5,5 litros.

12. c) Galio sódico.

13. a) Una mascarilla oronasal.

14. d) 1.000 ml.

15. c) La cantidad de aire que entra y sale del pulmón, durante una respiración normal en situación de reposo.

16. d) La cantidad máxima de aire expulsada por los pulmones al final de una espiración normal.

17. a) 0,15 litro.

18. d) 7,5 l.

19. b) Actuación urgente, tratamiento y monitorización de la respuesta al mismo. Los pacientes con enfermedad respiratoria crónica toleran bien saturaciones en torno a estos valores.

20. a) Bronquitis crónica y el enfisema.

21. d) Consumo de tabaco.

22. b) Bronquitis crónica.

23. c) Disminución de la adaptabilidad pulmonar.

24. c) Esputo purulento.

25. b) Neumonía.

26. c) Respiratoria.

27. c) Cursa con ausencia de hemoptisis ni tos.

28. b) Que aparece la disnea en la marcha en llano lenta, el sujeto sólo es capaz de marchar lentamente.

29. b) EPOC.

30. d) a y c son correctas.

31. d) Todos los casos anteriores.

32. d) a y b son correctas.

33. a) Contiene agua destilada.

34. c) Una presión mayor a la atmosférica.

35. d) Mascarilla oronasal de no reinhalación.

36. b) En niños pequeños.

37. a) 24-50%.

38. d) Todas son necesarias.

39. b) CPAP.

40. c) 8,5.

41. c) Laringoscopio .

42. d) Se utiliza para la eliminación de secreciones traqueobronquiales.

43. c) Hipercapnia.

44. a) Una concentración de bicarbonato baja y un PH bajo.

TEST N.º 14

Atención del Auxiliar de Enfermería al enfermo terminal. Apoyo al cuidador principal y familia. Cuidados post mortem

1. El objetivo principal que nos proponemos en un servicio de Cuidados Paliativos es:

a) Diagnosticar patologías con máxima diligencia.
b) Utilizar los tratamientos más novedosos, incluso los que están en vía de investigación.
c) Acompañar y ayudar a morir en paz.
d) Utilizar los aparatos biomédicos más sofisticados para mantener la vida del paciente.

2. ¿Quién definió los Cuidados Paliativos en 1990 como: «la asistencia total y activa de los pacientes que no responden al tratamiento curativo. El control del dolor y de los síntomas, y de los problemas psicológicos, sociales y espirituales es de la mayor importancia. La meta de los cuidados paliativos es la consecución de la mejor calidad de vida para los pacientes y sus familias»?

a) Callahan.
b) Cecily Saunders.
c) Organización Mundial de la Salud (OMS).
d) Beauchamp y Childress.

3. Se considera enfermedad terminal aquella:

a) Que tiene un pronóstico de vida inferior a 8 meses.
b) Que tiene un pronóstico de vida inferior a 10 meses.
c) Que tiene un pronóstico de vida inferior a 6 meses.
d) Que tiene un pronóstico de vida inferior a 12 meses.

4. ¿Cuál de estas afirmaciones no corresponde a la definición de enfermedad en situación terminal?

a) Presencia de enfermedad incurable con respuesta variable al tratamiento específico que probablemente evolucionará hacia la muerte a medio plazo.
b) Síntomas multifactoriales, cambiantes y de intensidad variable.
c) Gran impacto emocional o sufrimiento sobre el paciente, familia y personal sanitario.
d) Pronóstico de vida limitado a 6 meses (más/menos 3 meses).

5. El principal objetivo de los cuidados de enfermería a un enfermo terminal es:

a) Prevenir las complicaciones.
b) Evaluar la respuesta al tratamiento.
c) Mejorar la calidad de vida del paciente.
d) Valorar el estado de disconfort del paciente.

6. ¿Contra qué principio atenta más claramente la obstinación terapéutica o encarnizamiento terapéutico?

a) Principio de Autonomía.
b) Principio de Beneficencia.
c) Principio de Justicia.
d) Principio de no maleficencia.

7. Si se abandona a un paciente correctamente informado que rechaza un tratamiento, ¿contra qué principio se atenta?

a) Principio de autonomía.
b) Principio de beneficencia.
c) Principio de justicia.
d) Ninguno de ellos.

8. Cuando un paciente es abandonado a su suerte sin una asistencia adecuada, con un "ya no hay nada que hacer", estamos atentando contra el principio bioético denominado:

a) Justicia.
b) Beneficencia.
c) Autonomía.
d) No maleficencia.

9. Cuando al tratar un paciente en situación terminal recurrimos al denominado encarnizamiento u obstinación terapéutica incumplimos el principio de:

a) Justicia.
b) Beneficencia.

c) Autonomía.
d) No maleficencia.

10. El principio de bioética que declara que no nos está permitido hacer mal a otro, aunque éste nos lo autorice es:

a) Justicia.
b) Beneficencia.
c) Autonomía.
d) No maleficencia.

11. ¿En cuál de los siguientes conceptos están basados los cuidados paliativos?

a) Eutanasia activa.
b) Distanasia.
c) Ortotanasia.
d) Eutanasia directa.

12. En la atención a un enfermo terminal si utilizamos medidas extraordinarias que no reportan ningún beneficio al enfermo para prolongar su vida estamos incurriendo en:

a) Eutanasia activa.
b) Distanasia.
c) Ortotanasia.
d) Eutanasia directa.

13. ¿Cuál de los siguientes derechos de los usuarios puede ser aplicado a un enfermo terminal?

a) Derecho a recibir atención médica y soporte personal (por ejemplo, permitiendo a un familiar permanecer a su lado).
b) Derecho a ser tratados con la mayor dignidad y a ver su dolor aliviado y su sufrimiento reducido de la mejor forma posible.
c) Derecho a participar en la toma de decisiones relativas a las pruebas complementarias y al tratamiento. El consentimiento informado del paciente es un requisito previo a toda intervención sanitaria.
d) Todos son derechos inherentes al enfermo terminal.

14. Entre las actividades realizadas por enfermería para la higiene diaria del paciente terminal destaca:

a) Aprovechar el momento en el que el paciente esté más fuerte o animado.
b) Respetar su intimidad.
c) Utilizar sus propios efectos personales.
d) Todas son correctas.

15. Para evitar o tratar la anorexia que puede aparecer en el enfermo terminal no está indicado:

a) Cuidar la presentación de los platos.
b) Administrar complejos vitamínicos.
c) Comer frecuentemente y en pocas cantidades.
d) Administrar corticoides por vía oral para aumentar el apetito.

16. En la atención al enfermo terminal y más concretamente en los cuidados de la boca, ¿qué quiere decir que el paciente presenta xerostomía?

a) Dolor bucal.
b) Mal olor del aliento.
c) Sequedad de boca.
d) Enfermedad periodontal.

17. Con el propósito de hidratar la boca y los labios de un enfermo terminal podemos utilizar los siguientes productos, excepto:

a) Aumentar la ingesta de líquidos.
b) Dar frecuente sorbos de agua o manzanilla con limón y retenerlos en la boca algunos minutos.
c) Utilizar saliva artificial cuando las glándulas salivares no sean funcionales.
d) Mantener los labios lubricados con vaselina.

18. Al dolor que persiste más allá de los 6 meses tras la lesión que lo causó lo llamamos:

a) Dolor crónico.
b) Dolor agudo.
c) Dolor oncológico.
d) Dolor paliativo.

19. El método subjetivo más utilizado en clínica para cuantificar el dolor en un enfermo es el denominado:

a) Escala Descriptiva Simple.
b) Escala Visual Analógica (EVA).
c) Escala Numérica de Valoración (EVN).
d) Escala de Valoración Verbal.

20. ¿Cuál de los siguientes cuestionarios que presenta 78 adjetivos de dolor en 20 grupos distintos reflejando las dimensiones sensorial y afectiva es el más utilizado en las clínicas del dolor?

a) Escala Numérica de Valoración (EVN).
b) McGill.

c) Escala de Valoración Verbal.
d) Latineen.

21. ¿Cuál de los siguientes factores que pueden modificar la percepción del dolor lo disminuirían?

a) Depresión.
b) Miedo.
c) Baja autoestima.
d) Sueño.

22. Para administrar analgesia a un enfermo terminal utilizaremos en la mayoría de los casos (90%) la vía:

a) Oral.
b) Transdérmica.
c) Rectal.
d) Intravenosa.

23. ¿Cómo se denomina a la escalada gradual de dosis de opioides, hasta lograr analgesia adecuada o efectos secundarios intolerables?

a) Rescate.
b) Titulación.
c) Tolerancia inversa.
d) Tolerancia.

24. Desde el punto de vista fisiopatológico del dolor, ¿cuál de los siguientes es del tipo nociceptivo?

a) Central.
b) Periférico.
c) Visceral.
d) Desaferentización.

25. Respecto al tratamiento escalonado del dolor propuesto por la OMS:

a) Los fármacos del primer escalón ocasionan frecuentemente trastornos psiquiátricos.

b) Los fármacos del segundo escalón deben asociarse a los del tercero si no se logra la analgesia buscada.

c) El fármaco más representativo del tercer escalón es el fentanilo.

d) Los fármacos del primer escalón pueden sumarse a los del segundo o tercer escalón, si fuese necesario.

26. Siguiendo la denominada escalera analgésica propuesta por la OMS, ¿dónde incluirías el fármaco denominado tramadol?

a) Primer escalón.
b) Segundo escalón.
c) Tercer escalón.
d) Cuarto escalón.

27. ¿Cuál es el fármaco opioide considerado como primera elección para el dolor oncológico moderado o intenso según la OMS?

a) Morfina.
b) Fentanilo.
c) Metadona.
d) Oxicodona.

28. De los siguientes síntomas que pueden aparecer en un paciente que toma morfina, ¿cuál se encuentra más frecuentemente?

a) Hipotensión.
b) Prurito.
c) Retención urinaria.
d) Estreñimiento.

29. El estreñimiento es un síntoma habitual del enfermo terminal pero, ¿cuál es su principal causa?

a) Falta de proteínas.
b) Disminución de lípidos en la dieta.
c) Disminución de hidratos de carbono en la dieta.
d) Uso de opiáceos.

30. ¿Cuál de los siguientes opioides del tercer escalón es un agonista parcial con efecto techo?

a) Fentanilo.
b) Oxicodona.
c) Buprenorfina.
d) Metadona.

31. En la agonía, cuál considerarías correcta de las siguientes afirmaciones:

a) Es necesario hidratar siempre al paciente con sueroterapia.
b) La sequedad de boca en esta fase siempre es debido a la deshidratación.

c) Suele ser suficiente tratar al paciente aportando líquidos en cavidad bucal en cantidades muy pequeñas y frecuentes y cuidando la boca.
d) En la agonía aumenta la capacidad de percepción de sed.

32. La vía preferente para administrar morfina en un paciente agónico debe ser:

a) Oral.
b) Subcutánea.
c) Intramuscular.
d) Intravenosa.

33. Citar qué es correcto en las siguientes aseveraciones sobre el delirio:

a) Es un síntoma fácil de diagnosticar.
b) Su incidencia es leve en la situación agónica.
c) Suele enmascarar otros síntomas como el dolor.
d) Es una causa infrecuente de sedación en la agonía.

34. El tratamiento del delirio debido a neurotoxicidad por opioides es:

a) Hidratación.
b) Rotación de opioides.
c) Antidepresivos tricíclicos.
d) a y b son correctas.

35. Si un enfermo precisa ser sedado en situación agónica y no ha expresado su voluntad al respecto, ¿quién decide la sedación?

a) La familia.
b) El médico.
c) El cuidador principal.
d) El juez.

36. ¿Cómo denominamos el tipo de sedación que se lleva a cabo en cuidados paliativos durante la fase de la agonía?

a) Sedación paliativa.
b) Sedación final.
c) Sedación completa.
d) Sedación terminal.

37. De entre las pautas de comportamiento ante un paciente crónico terminal. Señale cuál no es la correcta:

a) Demostrar una actitud de apatía.
b) Siéntate, escucha al enfermo, dialoga, comparte sus sentimientos.

c) Respetar las creencias y necesidades religiosas del paciente.
d) Comparte sus sentimientos.

38. Un auxiliar de enfermería que utiliza la empatía es capaz de:

a) Respetarse a sí mismo y valorar su competencia profesional.
b) Escuchar y respetar lo que dice y siente el paciente.
c) Cooperar con el enfermo en la aceptación y manejo de su nueva realidad.
d) Todas son ciertas.

39. En el duelo:

a) La fase de embotamiento suele durar meses.
b) En la fase de anhelo y búsqueda pueden aparecer fenómenos psíquicos, pensamientos obsesivos, angustia y aflicción.
c) La fase de reorganización suele conseguirse a los dos años aproximadamente en el duelo normal.
d) b y c son correctas.

40. Son signos tardíos de muerte:

a) Rigidez cadavérica.
b) Putrefacción cadavérica.
c) Enfriamiento del cadáver.
d) a, b y c son correctas.

41. ¿Cuál de las que se citan no es una etapa de aceptación de la muerte?

a) Negación y aislamiento.
b) Descanso y relajación.
c) Aceptación y paz.
d) Negociación.

42. No constituye una fase de la teoría de Engel respecto al proceso de duelo:

a) El Shock e incredulidad.
b) El desarrollo de la conciencia.
c) La agresividad.
d) La reorganización y restitución.

43. El término de éxitus, para referirse al fallecimiento es frecuente utilizarlo en:

a) El lenguaje coloquial.
b) Partes de defunción.
c) Historias clínicas.
d) b y c son correctas.

44. ¿Cuál de los signos precoces de muerte se considera más certero de que esta se ha producido?

a) La ausencia de latido cardiaco.
b) Electroencefalograma plano.
c) Ausencia de pulso.
d) Ausencia de tono muscular.

45. Son signos precoces de muerte, todos excepto:

a) No hay movimientos respiratorios ni ruidos ventilatorios.
b) Aparición de livideces.
c) No se ausculta latido cardiaco.
d) El pulso desaparece a la palpación.

Solución al test n.º 14

1. c) Acompañar y ayudar a morir en paz.

2. c) Organización Mundial de la Salud (OMS).

3. c) Que tiene un pronóstico de vida inferior a 6 meses.

4. a) Presencia de enfermedad incurable con respuesta variable al tratamiento específico que probablemente evolucionará hacia la muerte a medio plazo.

5. c) Mejorar la calidad de vida del paciente.

6. d) Principio de no maleficencia.

7. b) Principio de beneficencia.

8. b) Beneficencia.

9. d) No maleficencia.

10. d) No maleficencia.

11. c) Ortotanasia.

12. b) Distanasia.

13. d) Todos son derechos inherentes al enfermo terminal.

14. d) Todas son correctas.

15. b) Administrar complejos vitamínicos.

16. c) Sequedad de boca.

17. d) Mantener los labios lubricados con vaselina.

18. a) Dolor crónico.

19. b) Escala Visual Analógica (EVA).

20. b) McGill.

21. d) Sueño.

22. a) Oral.

23. b) Titulación.

24. c) Visceral.

25. d) Los fármacos del primer escalón pueden sumarse a los del segundo o tercer escalón, si fuese necesario.

26. b) Segundo escalón.

27. a) Morfina.

28. d) Estreñimiento.

29. d) Uso de opiáceos.

30. c) Buprenorfina.

31. c) Suele ser suficiente tratar al paciente aportando líquidos en cavidad bucal en cantidades muy pequeñas y frecuentes y cuidando la boca.

32. b) Subcutánea.

33. c) Suele enmascarar otros síntomas como el dolor.

34. d) a y b son correctas.

35. a) La familia.

36. d) Sedación terminal.

37. a) Demostrar una actitud de apatía.

38. d) Todas son ciertas.

39. d) b y c son correctas.

40. d) a, b y c son correctas.

41. b) Descanso y relajación.

42. c) La agresividad.

43. d) b y c son correctas.

44. b) Electroencefalograma plano.

45. b) Aparición de livideces.

TEST N.º 15

Urgencias y emergencias: Concepto. Primeros auxilios en situaciones críticas: Politraumatizados, quemados, shock, intoxicación, heridas, hemorragias, asfixias. Reanimación cardio-pulmonar básica. Mantenimiento y reposición del material necesario (carro de parada). Inmovilizaciones y traslado de enfermos

1. Una urgencia médica es:

a) Toda situación que lleva al paciente a solicitar asistencia médica inmediata.
b) Toda situación que pone en peligro, de forma inminente, la vida del paciente.
c) Toda situación que requiera la presencia de un sanitario.
d) Ninguna es cierta.

2. ¿Qué tipo de enfermo recibe la definición de "politraumatizado"?

a) Aquel que ha sufrido un traumatismo múltiple.
b) Los defenestrados, accidentes de tráfico y aquellos que han recibido una herida por arma blanca.
c) Los que presentan una o más lesiones óseas traumáticas mayores y/o afectación de una o más vísceras asociadas entrañando repercusiones respiratorias y/o circulatorias.
d) Aquellos que presentan un compromiso circulatorio o respiratorio tal que pueda poner en peligro su vida.

3. Al hablar de las causas de muerte en los politraumatizados se dice que estas presentan una distribución trimodal. ¿Qué significa esa expresión?

a) Que la muerte se produce básicamente por tres causas: hemorragia, sepsis o fallo multiorgánico.
b) Que la muerte se suele producir dentro de los tres primeros minutos tras el accidente.
c) Que los principales motivos de fallecimiento son: accidentes de tráfico, agresiones y defenestraciones.
d) Que los fallecimientos se agrupan en torno a tres picos de tiempo.

4. ¿A qué hace referencia la denominada "hora de oro" al hablar de los politraumatizados?

a) A la hora en que estadísticamente ocurren la mayoría de los accidentes.
b) Al tercer pico en la distribución por causas de muerte en el politraumatizado.
c) A la edad en que estadísticamente ocurren la mayoría de los accidentes.
d) Al segundo pico en la distribución por causas de muerte en el politraumatizado, en el que ocurren el 60% de los fallecimientos.

5. ¿En qué parte de la atención inicial al politraumatizado se incluye el control de la vía aérea, la ventilación y la circulación?

a) En la Valoración Primaria.
b) En la Valoración Secundaria.
c) En la Valoración Terciaria.
d) Estos pasos se realizan antes que ninguna valoración.

6. ¿Cuál de los siguientes epígrafes no es propio de la valoración secundaria de los enfermos politraumatizados?

a) Valoración del cuello.
b) Valoración de la pelvis.
c) Valoración de las extremidades.
d) Valoración de la ventilación.

7. ¿Cuál de los siguientes epígrafes no forma parte de las acciones a desarrollar dentro del control de la circulación, en el reconocimiento inicial al politraumatizado?

a) Valoración del pulso.
b) Valoración de la escala de Glasgow.
c) Valoración del color y temperatura corporal.
d) Valoración del relleno capilar.

8. Si, careciendo de esfigmomanómetro, detectamos pulso en la arteria radial, podremos deducir que el paciente tiene una tensión arterial sistólica de:

a) Entre 100 y 120 mmHg.
b) Por encima de los 100 mmHg.
c) Al menos 80 mmHg.
d) Por debajo de los 70 mmHg.

9. ¿A qué estados de conciencia hace referencia el acrónimo ALEC?

a) Alerta, letárgico, estuporoso y comatoso.
b) Activo, lento, estático y consciente.

c) Alerta, lento, estuporoso y consciente.
d) Activo, letárgico, estático y comatoso.

10. ¿En qué consiste la valoración secundaria del paciente politraumatizado?

a) En la valoración de las posibles secuelas tras el accidente.
b) En la inspección, palpación y auscultación ordenada y completa del enfermo.
c) En la inspección desde la cabeza hasta los pies, buscando heridas invalidantes.
d) En la valoración que se realiza tras la llegada al centro hospitalario.

11. ¿Cuál de los siguientes epígrafes es cierto en relación con el signo de Batlle?

a) Hace referencia a la desviación de la tráquea de la línea media.
b) Se manifiesta de forma característica con hematomas en anteojos.
c) Es propio de las fracturas en la base del cráneo.
d) b y c son ciertas.

12. Las quemaduras en las que hay necrosis de los tejidos que evoluciona a la formación de escaras son de grado:

a) 0.
b) 1.
c) 2.
d) 3.

13. La valoración de las quemaduras se realiza determinando:

a) Extensión de la quemadura.
b) Profundidad de la quemadura.
c) Tiempo de evolución de la quemadura.
d) Todas son correctas.

14. Para valorar la extensión de las quemaduras, se utiliza la regla del:

a) 7 o múltiplo de 7.
b) 8 o múltiplo de 8.
c) 9 o múltiplo de 9.
d) 10 o múltiplo de 10.

15. La llamada regla de los 9 permite saber que en caso de quemaduras:

a) La cabeza y el cuello representan el 9% de la superficie corporal total.
b) Pecho y abdomen representan el 18% de la superficie corporal total.
c) La espalda representa el 18% y los miembros superiores el 18%.
d) Todas son correctas.

16. La regla de los 9 se utiliza para calcular la superficie quemada. Según la misma una persona que presenta quemaduras que afectan al brazo, antebrazo y mano izquierda, presenta una superficie quemada del:

a) 9%.
b) 18%.
c) 36%.
d) 1%.

17. Quemaduras que afectan a ambos miembros inferiores en su totalidad, suponen una superficie corporal quemada del:

a) 9%.
b) 18%.
c) 36%.
d) 1%.

18. Si un paciente presenta quemaduras en la totalidad de la extremidad inferior derecha, en el tronco anterior y en los genitales, ¿qué porcentaje de SCA (superficie corporal quemada) tendría según la regla de los 9?

a) 36%.
b) 27%.
c) 18%.
d) 37%.

19. Las quemaduras de primer grado son:

a) Aquellas que afectan a la epidermis.
b) Aquellas que afectan a la parte superficial de la dermis.
c) Aquellas que afectan a la parte profunda de la dermis.
d) Aquellas que afectan a músculos o tendones.

20. Las quemaduras de segundo grado profundas son:

a) Aquellas que afectan a la epidermis.
b) Aquellas que afectan a la parte superficial de la dermis.
c) Aquellas que afectan a la parte profunda de la dermis.
d) Aquellas que afectan a músculos o tendones.

21. Las quemaduras de tercer grado profundas son:

a) Aquellas que afectan a la parte profunda de la dermis.
b) Aquellas que afectan a músculos o tendones.
c) Aquellas que afectan a huesos.
d) c y b son correctas.

22. El tiempo de curación de una quemadura de segundo grado superficial varía:

a) Entre 3 - 5 días.
b) Entre 10 - 15 días.
c) Entre 3 - 4 semanas.
d) Entre 6 - 8 semanas.

23. El tiempo de curación de una quemadura de segundo grado profunda varía:

a) Entre 5 - 8 días.
b) Entre 1 - 2 semanas.
c) Entre 3 - 4 semanas.
d) Entre 2 - 3 meses.

24. El tiempo de curación de una quemadura de primer grado varía:

a) Entre 3 - 5 días.
b) Entre 1 - 2 días.
c) Entre 8 - 10 días.
d) Entre 2 - 3 semanas.

25. Entre las causas que pueden producir shock hipovolémico no se encuentra:

a) Quemaduras extensas.
b) Abuso de diuréticos.
c) Excesiva administración de fluidoterapia.
d) Hemorragias agudas.

26. El shock distributivo, según el motivo que genere la disfunción, se divide en:

a) Shock anafiláctico.
b) Shock séptico.
c) Shock neurogénico.
d) Todas son correctas.

27. ¿Cuál de los siguientes síntomas no aparece en la clínica tradicional del Shock?

a) Hipotensión.
b) Poliuria.
c) Taquicardia.
d) Taquipnea.

28. ¿Cuál de las siguientes medidas sería la menos urgente en una emergencia por shock anafiláctico?

a) Retirar al paciente de la sustancia reactiva.
b) Asegurar la permeabilidad de la vía aérea.

c) Control de la glucemia.
d) Monitorizar presión arterial y frecuencia cardiaca.

29. Ante una intoxicación nos interesará conocer con urgencia:

a) Nombre y cantidad del producto ingerido.
b) Tiempo transcurrido desde la ingestión.
c) Vía por la que se ha producido la intoxicación.
d) Todas son ciertas.

30. En el tratamiento general de las intoxicaciones, ¿qué paso no se contempla de forma sistemática?

a) Disminución de la absorción del tóxico.
b) Aumento de la eliminación del tóxico.
c) Comprobación de la acidez o alcalinidad del tóxico.
d) Tratamiento farmacológico.

31. ¿Cuál es la vía por la que se producen la inmensa mayoría de las intoxicaciones?

a) Vía oral.
b) Vía intravenosa.
c) Vía respiratoria.
d) Las tres opciones anteriores, en similar proporción.

32. ¿Hasta cuántas horas después de la ingesta es eficaz realizar un lavado y aspirado gástrico?

a) Hasta un máximo de 24 horas.
b) Hasta un máximo de 6 horas.
c) Hasta un máximo de 3 horas si el tóxico es líquido y 6 si es sólido.
d) En general 6 horas que pueden prolongarse si media algún motivo que pueda enlentecer la motilidad gástrica.

33. ¿Qué eméticos son los recomendados en caso de necesitar provocar el vómito?

a) Agua caliente con sal.
b) Jarabe de Ipecuana.
c) Estimulación faríngea.
d) Ninguno de los anteriores.

34. ¿Cuál de las siguientes medidas no es necesaria en el tratamiento por intoxicación etílica?

a) Colocar al enfermo en posición lateral de seguridad.
b) Controlar posibles hipotermias e hipoglucemias.

c) Administrar vitamina C.
d) Administrar vitamina B6.

35. ¿Cuál es la tríada característica de la intoxicación por opiáceos?

a) Midriasis, taquicardia y vómitos.
b) Miosis puntiforme, hipoventilación y coma.
c) Taquicardia, estupor y náuseas.
d) Alcalosis respiratoria, midriasis y diaforesis.

36. El antídoto en las intoxicaciones por paracetamol es:

a) Naloxona.
b) Flumacenil.
c) N-acetilcisteína.
d) EDTA-dicobalto.

37. Los compuestos que contienen diazepan, cloracepato, nitracepam, midazolam... se incluyen dentro del grupo de:

a) Los opiáceos.
b) Los AINE.
c) Los IMAO.
d) Las benzodiacepinas.

38. El antagonista específico de las benzodiacepinas se denomina:

a) Naloxona.
b) Flumacenil.
c) N-acetilcisteína.
d) EDTA-dicobalto.

39. La intoxicación por anfetaminas puede producir una clínica caracterizada por:

a) Diarreas, taquicardias, vómitos y euforia.
b) Verborrea, midriasis, taquicardia y taquipnea.
c) Miosis, hipotensión, anuria y diaforesis.
d) Somnolencia, confusión, bradicardia y vómitos.

40. ¿Cuál es el antídoto en las intoxicaciones por arsénico?

a) Naloxona.
b) Flumacenil.
c) N-acetilcisteína.
d) Dimercaprol (BAL).

41. La hemorragia de las encías se conoce como:

a) Melenas.
b) Gingivorragias.
c) Hematemesis.
d) Epistaxis.

42. Una epistaxis es una hemorragia de:

a) El aparato digestivo.
b) El oído.
c) La nariz.
d) El conducto auditivo externo.

43. La hematemesis es una hemorragia:

a) Del tracto intestinal inferior.
b) Del tracto gastrointestinal superior.
c) Que se acompaña de vómitos.
d) B y c son correctas.

44. La hemorragia menstrual se denomina:

a) Menorragia.
b) Hemartros.
c) Metrorragia.
d) Hematemesis.

45. La metrorragia es una hemorragia:

a) Patológica.
b) Fisiológica.
c) Del aparato genital femenino.
d) a y c son correctas.

46. Cuando se producen pequeñas hemorragias situadas debajo de la epidermis y en forma de llama se habla de:

a) Petequias.
b) Víbices.
c) Púrpura.
d) Equimosis.

47. La sangre procedente del aparato digestivo, que es expulsada con las heces se denomina:

a) Melenas.
b) Hematemesis.
c) Petequias.
d) Hemorragia.

48. Los cardenales en la piel se denominan también:

a) Equimosis.
b) Púrpura.
c) Gingivorragia.
d) Melenas.

49. La hemorragia que aparece en una herida puede ser de origen:

a) Capilar.
b) Venoso.
c) Arterial.
d) De cualquiera de las anteriores o mixta.

50. Es de origen respiratorio una de las hemorragias siguientes. Señálela:

a) Melena.
b) Hemoptisis.
c) Hematemesis.
d) Todas.

51. ¿En qué año se realizó la última actualización de las recomendaciones de la ERC (*European Resuscitation Council*) sobre la reanimación cardiopulmonar básica?

a) En 2005.
b) En 2008.
c) En 2010.
d) En 2015.

52. La llamada "Cadena de supervivencia" fue desarrollada para intentar aumentar la supervivencia de los afectados por una PCR. ¿De cuántos eslabones se compone esta cadena imaginaria?

a) 2.
b) 4.
c) 6.
d) 8.

53. Cuál es el primer eslabón, de la conocida como "cadena de supervivencia":

a) Desfibrilación.
b) Traslado.
c) Pedir ayuda.
d) Maniobras de RCP.

54. Cuál es la primera medida a realizar, una vez identificada la situación de parada cardiorrespiratoria:

a) Realizar las maniobras de RCP básica.
b) Traslado del afectado.
c) Activación de los servicios de emergencias sanitarios.
d) Desfibrilación.

55. Aproximadamente, ¿cuántos minutos puede permanecer el cerebro humano sin recibir oxígeno?

a) 1 minuto.
b) 2 minutos.
c) 3 minutos.
d) 4 minutos.

56. ¿Cuándo considera que debe trasladarse al centro sanitario, un enfermo que ha sufrido una parada cardiorrespiratoria en la vía pública?

a) Cuando se estabilicen sus funciones vitales.
b) Lo antes posible.
c) En cuanto se disponga de un vehículo apropiado.
d) Después de la primera desfibrilación.

57. Qué es lo primero que debería hacer ante una supuesta situación de parada cardiorrespiratoria:

a) Desfibrilar.
b) Identificar la situación.
c) Comprobar la respiración.
d) Pedir ayuda.

58. ¿Cómo comprobaría el estado de consciencia de un individuo que presenta una posible parada cardiorrespiratoria?

a) No es necesario comprobar la consciencia.
b) Estimulando a la víctima auditiva y sensitivamente.
c) Gritándole "oiga, qué le pasa".
d) Viendo, oyendo y sintiendo su respiración.

59. ¿En cuál de las siguientes situaciones, debería realizar la maniobra frente-mentón?

a) Ante un enfermo con una posible obstrucción de la vía aérea.
b) En los enfermos inconscientes, sin respiración ni pulso.
c) En una víctima inconsciente, que no responde a estímulos auditivos ni sensitivos.
d) Ante un enfermo inconsciente que presenta respiración espontánea.

60. Qué debería hacer con un enfermo inconsciente, que respira con normalidad:

a) Comenzar las maniobras de RCP.
b) Dejarlo como está y pedir ayuda.
c) Realizar la maniobra frente mentón.
d) Ponerlo en posición lateral de seguridad y buscar ayuda.

61. ¿Qué debería hacer, si al comprobar la respiración de un enfermo inconsciente, encuentra una respiración en "boqueadas" o "gasping"?

a) Ponerlo en posición lateral de seguridad y reevaluar cada pocos minutos.
b) Realizar la maniobra frente-mentón.
c) Dejarlo como está y pedir ayuda.
d) Considerar que no respira y comenzar las maniobras de RCP.

62. ¿Cuáles son las maniobras de la Reanimación Cardiopulmonar Básica?

a) Masaje cardiaco y respiración boca a boca.
b) Masaje cardiaco.
c) Comprobación del pulso y masaje cardiaco.
d) Maniobra frente-mentón, posición lateral de seguridad, ventilación y pulso.

63. Al realizar la respiración boca a boca, ¿durante cuánto tiempo insuflaremos aire?

a) Durante aproximadamente 1 segundo.
b) Durante aproximadamente 3 segundos.
c) Durante aproximadamente 5 segundos.
d) Durante aproximadamente 10 segundos.

64. ¿Con qué frecuencia se debe realizar el masaje cardiaco externo en los adultos?

a) Al menos 60 compresiones/min.
b) Al menos 100 compresiones/min.
c) Al menos 130 compresiones/min.
d) Al menos 150 compresiones/min.

65. Durante el masaje cardiaco, ¿a qué profundidad se recomienda comprimir?

a) Al menos a 3 cm.
b) Al menos a 5 cm.
c) Al menos a 7 cm.
d) Al menos a 10 cm.

66. Durante la respiración "boca a boca", ¿a qué velocidad realizaremos las ventilaciones?

a) A una frecuencia de 5-7 por minuto.
b) A una frecuencia de 8-10 por minuto.
c) A una frecuencia de 11-15 por minuto.
d) A una frecuencia de 16-20 por minuto.

67. ¿Qué cantidad aproximada de oxígeno, contiene el aire ambiente?

a) Aproximadamente un 9%.
b) Aproximadamente un 14%.
c) Aproximadamente un 21%.
d) Aproximadamente un 31%.

68. ¿En qué posición debe permanecer el enfermo, para realizarle el masaje cardiaco externo?

a) Decúbito prono, con las extremidades superiores a lo largo del cuerpo.
b) Posición lateral de seguridad.
c) En la que se produzca la parada.
d) Decúbito supino, con las extremidades superiores a lo largo del cuerpo.

69. ¿Qué secuencia de compresiones y ventilaciones, debemos realizar durante la reanimación cardiopulmonar básica?

a) 2 compresiones / 30 ventilaciones.
b) 30 compresiones / 2 ventilaciones.
c) 15 compresiones / 2 ventilaciones.
d) 5 compresiones / 1 ventilación.

70. Si una parada cardiorrespiratoria es presenciada por dos reanimadores expertos, ¿qué secuencia de compresiones y ventilaciones deberían realizar?

a) 5 compresiones / 1 ventilación.
b) 2 compresiones / 30 ventilaciones.
c) 15 compresiones / 2 ventilaciones.
d) 30 compresiones / 2 ventilaciones.

71. ¿Cuál sería la acción más correcta, ante la obstrucción parcial de la vía aérea por un cuerpo extraño?

a) Realizar la maniobra de Heimlich.
b) Animar al afectado para que tosa una y otra vez.
c) Comenzar las maniobras de RCP básica.
d) Dar 5 palmadas interescapulares.

72. En cuál de los siguientes casos está recomendada la maniobra de Heimlich:

a) Paciente consciente, con obstrucción completa (grave) de la vía aérea.
b) Paciente inconsciente, con obstrucción completa (grave) de la vía aérea.
c) Paciente consciente, con obstrucción parcial (leve) de la vía aérea.
d) Paciente inconsciente, con obstrucción parcial (leve) de la vía aérea.

73. ¿Cuál de los siguientes enunciados, corresponde con la manera más correcta de detener una hemorragia?

a) Comprimiendo con un apósito limpio.
b) Realizando un "torniquete".
c) Aplicando frio.
d) Aplicando compresión digital en la arteria inmediatamente superior de la herida.

74. ¿Cómo se selecciona la longitud adecuada de una cánula de Guedel?

a) Es igual a la longitud del dedo anular del paciente.
b) Es igual al tamaño longitudinal del pabellón auricular.
c) Es igual a la distancia que existe entre la comisura de los labios y el lóbulo del pabellón auricular.
d) No es importante la longitud, sólo el grosor.

75. Cuál es la causa más frecuente de parada cardiorrespiratoria:

a) Fibrilación auricular.
b) Taquicardia ventricular.
c) Fibrilación ventricular.
d) Taquicardia supraventricular.

76. ¿Qué concentración de oxígeno se puede alcanzar, al ventilar con un resucitador manual con reservorio, conectado a una toma de oxígeno?

a) Cercanas al 30%.
b) Cercanas al 50%.
c) Cercanas al 70%.
d) Cercanas al 100%.

77. ¿Qué deberíamos hacer ante un niño que no respira?

a) Comprobar el pulso.
b) Realizar 5 ventilaciones de rescate.
c) Realizar 30 compresiones y 2 ventilaciones.
d) Ponerlo en posición lateral de seguridad.

78. ¿Qué secuencia de compresiones y ventilaciones deberían realizar dos reanimadores que encuentran un niño sin respiración y sin signos de circulación?

a) 5 compresiones / 1 ventilación.
b) 15 compresiones / 2 ventilaciones.
c) 30 compresiones / 2 ventilaciones.
d) 15 compresiones / 1 ventilación.

79. ¿Qué frecuencia de compresiones torácicas se recomienda en la actualidad, en el soporte vital básico pediátrico?

a) Entre 50 y 60 compresiones por minuto.
b) Entre 70 y 90 compresiones por minuto.
c) Entre 100 y 120 compresiones por minuto.
d) Entre 130 y 150 compresiones por minuto.

80. El medicamento de elección en pacientes que padecen convulsiones es:

a) Diazepam.
b) Lidocaína.
c) Naloxona.
d) Atropina.

81. ¿Cuál de los siguientes fármacos empleados en urgencias es una benzodiacepina?

a) Diazepam.
b) Lidocaína.
c) Naloxona.
d) Atropina.

82. ¿Qué material es imprescindible y debe formar parte del carro de reanimación cardiopulmonar?

a) Cloruro potásico.
b) Gasas estériles.
c) Laringoscopio.
d) Sonda de Sengstaken.

83. ¿Cómo se denomina el tipo de vendaje que se utiliza habitualmente para vendar los miembros y en el que cada vuelta se superpone parcialmente a la anterior?

a) Vendaje en espiral.
b) Vendaje en vuelta circular.
c) Vendaje en ocho.
d) Vendaje en espiral invertida.

84. ¿Cómo se denomina la posición que se utiliza, prioritariamente, para trasladar enfermos con patologías respiratorias (asma, enfisema, bronquitis crónica, edemas de pulmón, etc.), y para los que han sufrido un traumatismo craneoencefálico?

a) Decúbito supino.
b) Trendelenburg.
c) Fowler.
d) Posición de Sims.

Solución al test n.º 15

1. a) Toda situación que lleva al paciente a solicitar asistencia médica inmediata.

2. c) Los que presentan una o más lesiones óseas traumáticas mayores y/o afectación de una o más vísceras asociadas entrañando repercusiones respiratorias y/o circulatorias.

3. d) Que los fallecimientos se agrupan en torno a tres picos de tiempo.

4. d) Al segundo pico en la distribución por causas de muerte en el politraumatizado, en el que ocurren el 60% de los fallecimientos.

5. a) En la valoración primaria.

6. d) Valoración de la ventilación.

7. b) Valoración de la escala de Glasgow.

8. c) Al menos 80 mmHg.

9. a) Alerta, letárgico, estuporoso y comatoso.

10. b) En la inspección, palpación y auscultación ordenada y completa del enfermo.

11. d) b y c son ciertas.

12. d) 3.

13. d) Todas son correctas.

14. c) 9 o múltiplo de 9.

15. d) Todas son correctas.

16. a) 9%.

17. c) 36%.

18. d) 37%.

19. a) Aquellas que afectan a la epidermis.

20. c) Aquellas que afectan a la parte profunda de la dermis.

21. d) c y b son correctas.

22. b) Entre 10 - 15 días.

23. c) Entre 3 - 4 semanas.

24. a) Entre 3 - 5 días.

25. c) Excesiva administración de fluidoterapia.

26. d) Todas son correctas.

27. b) Poliuria.

28. c) Control de la glucemia.

29. d) Todas son ciertas.

30. c) Comprobación de la acidez o alcalinidad del tóxico.

31. a) Vía oral.

32. d) En general 6 horas que pueden prolongarse si media algún motivo que pueda enlentecer la motilidad gástrica.

33. b) Jarabe de Ipecuana.

34. c) Administrar vitamina C.

35. b) Miosis puntiforme, hipoventilación y coma.

36. c) N-acetilcisteína.

37. d) Las benzodiacepinas.

38. b) Flumacenil.

39. b) Verborrea, midriasis, taquicardia y taquipnea.

40. d) Dimercaprol (BAL).

41. b) Gingivorragias.

42. c) La nariz.

43. d) B y c son correctas.

44. a) Menorragia.

45. d) a y c son correctas.

46. b) Víbices.

47. a) Melenas.

48. a) Equimosis.

49. d) De cualquiera de las anteriores o mixta.

50. b) Hemoptisis.

51. d) En 2015.

52. b) 4.

53. c) Pedir ayuda.

54. c) Activación de los servicios de emergencias sanitarios.

55. d) 4 minutos.

56. a) Cuando se estabilicen sus funciones vitales.

57. b) Identificar la situación.

58. b) Estimulando a la víctima auditiva y sensitivamente.

59. c) En una víctima inconsciente, que no responde a estímulos auditivos ni sensitivos.

60. d) Ponerlo en posición lateral de seguridad y buscar ayuda.

61. d) Considerar que no respira y comenzar las maniobras de RCP.

62. a) Masaje cardiaco y respiración boca a boca.

63. a) Durante aproximadamente 1 segundo.

64. b) Al menos 100 compresiones/min.

65. b) Al menos a 5 cm

66. b) A una frecuencia de 8-10 por minuto.

67. c) Aproximadamente un 21%.

68. d) Decúbito supino, con las extremidades superiores a lo largo del cuerpo.

69. b) 30 compresiones / 2 ventilaciones.

70. d) 30 compresiones / 2 ventilaciones.

71. b) Animar al afectado para que tosa una y otra vez.

72. a) Paciente consciente, con obstrucción completa (grave) de la vía aérea.

73. a) Comprimiendo con un apósito limpio.

74. c) Es igual a la distancia que existe entre la comisura de los labios y el lóbulo del pabellón auricular.

75. c) Fibrilación ventricular.

76. d) Cercanas al 100%.

77. b) Realizar 5 ventilaciones de rescate.

78. b) 15 compresiones / 2 ventilaciones.

79. c) Entre 100 y 120 compresiones por minuto.

80. a) Diazepam.

81. a) Diazepam.

82. c) Laringoscopio.

83. a) Vendaje en espiral.

84. c) Fowler.

TEST N.º 16

Discapacidad en las personas mayores dependientes: Concepto de discapacidad. Clasificación y etiología de la discapacidad. Características y necesidades de los usuarios dependientes

1. Las siglas CIDDM-2 (2001) significan:

a) Clasificación Internacional de Deficiencias, Discapacidades y Minusvalías.
b) Clasificación Internacional de Deficiencias, Actividades y Participación.
c) Clasificación Internacional del Funcionamiento de la Discapacidad y la Salud.
d) Clasificación Internacional de Disfunción y Retraso Mental.

2. La CIDDM-2 pertenece a la "familia" de las clasificaciones desarrolladas por:

a) OMS.
b) CIE-10.
c) DSM-IV.
d) Ninguna opción es correcta.

3. Entre los problemas que presentaba la CIDDM de 1980 estaba:

a) Algunas definiciones implicaban connotaciones negativas.
b) Apuntaba un carácter demasiado médico.
c) Se centraban en la persona sin reflejar la relación recíproca entre las condiciones o expectativas sociales y las capacidades de la persona.
d) Todas las respuestas son correctas.

4. Deficiencia, limitación en la actividad, restricción en la participación y barreras/obstáculos se consideran:

a) Aspectos positivos (funcionamiento).
b) Aspectos negativos (discapacidad).
c) Aspectos ambivalentes.
d) Ninguna opción es correcta.

5. Integridad funcional y estructural, actividades, participación y facilitadores son:

a) Aspectos positivos (funcionamiento).
b) Aspectos negativos (discapacidad).
c) Aspectos ambivalentes.
d) Ninguna opción es correcta.

6. Entre los objetivos de la CIDDM-2 (2001) NO está:

a) Compartir un lenguaje común para definir la salud y los estados funcionales asociados a la salud.
b) Describir los derechos y deberes humanos.
c) Disponer de una base científica para comprender y estudiar la salud y los estados relacionados con la misma.
d) Permitir la comparación de datos entre países a lo largo del tiempo.

7. La Organización Mundial de la Salud (OMS) publicó en 1980 la:

a) Clasificación Internacional de Deficiencias, Discapacidades y Minusvalías.
b) Clasificación Internacional de Deficiencias, Actividades y Participación.
c) Clasificación Internacional del Funcionamiento de la Discapacidad y la Salud.
d) Clasificación Internacional de Disfunción y Retraso Mental.

8. La CIDDM-2 agrupa sistemáticamente distintos dominios. Entendemos por dominios a:

a) Se refiere a lo que una persona con una enfermedad hace o puede hacer.
b) Es un término baúl para incapacidades, limitaciones en la actividad o restricciones en la participación
c) Es un conjunto práctico y relacionado de acciones, funciones fisiológicas, estructuras anatómicas, tareas o áreas de la vida.
d) Las respuestas a y c son correctas.

9. Indica qué afirmación NO es correcta.

a) La CIE-10 y la CIDDM-2 son complementarias.
b) La CIE-10 proporciona un "diagnóstico" de enfermedades, trastornos u otras condiciones de salud.
c) Dos personas con la misma enfermedad pueden tener diferentes niveles de funcionamiento, y dos personas con el mismo nivel de funcionamiento no tienen necesariamente la misma condición de salud.
d) La CIE-10 y la CIDDM-2 siempre deben utilizarse conjuntamente.

10. Una de las características que presenta la CIDDM-2 es su universo, dentro de esta característica podemos señalar que:

a) No incluye factores socioeconómicos y es válida para cualquier persona, no solamente para personas con discapacidades.

b) Incluye factores socioeconómicos y solo es válida para personas con discapacidades.

c) La clasificación se ajusta al amplio contexto de la salud y no cubre circunstancias que no están relacionadas con la salud, como los factores socioeconómicos y solo es válida para personas con discapacidades.

d) Incluye factores socioeconómicos y es válida para cualquier persona, no solamente para personas con discapacidades.

11. La característica de la CIDDM-2 que proporciona una descripción de situaciones relacionadas con el funcionamiento humano y la discapacidad y sirve como marco de referencia para organizar esta información, es:

a) Su universo.
b) Su ámbito y cobertura.
c) Sus unidades de clasificación.
d) Su presentación.

12. Otra de las características de la CIDDM-2 son las unidades de clasificación. Las unidades de clasificación hacen referencia a:

a) Las categorías en cada dominio de salud y de estados relacionados con la salud.
b) Las partes en cada dominio de salud y de estados relacionados con la salud.
c) Los componentes en cada dominio de salud y de estados relacionados con la salud.
d) Los calificadores en cada domino de salud y de estados relacionados con la salud.

13. Las Funciones y Estructuras Corporales, las Actividades y Participación, Factores Ambientales y Factores Personales son:

a) Constructos/Calificadores.
b) Dominios y categorías a distintos niveles.
c) Componentes.
d) Partes.

14. El componente que hace referencia a las funciones fisiológicas de los sistemas corporales, incluyendo las funciones psicológicas, son:

a) Funciones Corporales.
b) Estructuras Corporales.
c) Minusvalías.
d) Deficiencias.

15. Capítulos como: estructuras del sistema nervioso o estructuras involucradas en la voz y el habla, pertenecen al componente:

a) Funciones Corporales.
b) Estructuras Corporales.

c) Minusvalías.
d) Deficiencias.

16. ¿Qué afirmación sobre las deficiencias no es correcta?

a) La deficiencia implica necesariamente que hay enfermedad.
b) Las deficiencias pueden derivar en otras deficiencias.
c) Las deficiencias se clasifican como: pérdida o ausencia; reducción, aumento o exceso, desviación.
d) Las deficiencias pueden ser temporales o permanentes; progresivas, regresivas o estáticas; intermitentes o continuas.

17. El componente que incluye todo lo que tiene que ver con la salud, el aprendizaje básico o la simple observación hasta las interacciones personales y el empleo es:

a) Estructuras corporales.
b) Actividad.
c) Acción.
d) Ninguna opción es correcta.

18. El término actual que sustituye a la "discapacidad" usado en la versión de 1980 de la CIDDM es:

a) Restricciones en la participación.
b) Actividad.
c) Limitaciones en la actividad.
d) Participación.

19. El término actual que sustituye a la "minusvalía" usado en la versión de 1980 de la CIDDM es:

a) Restricciones en la participación.
b) Actividad.
c) Limitaciones en la actividad.
d) Participación.

20. Los factores que representan el trasfondo total tanto de la vida de un individuo como de su estilo de vida son:

a) Los factores de la participación.
b) Los factores contextuales.
c) Los factores personales.
d) Los factores intrínsecos.

21. Los factores que representan los antecedentes de la vida de una persona y están integrados por aspectos que no forman parte de una condición de salud o estado de salud son:

a) Los factores de la participación.
b) Los factores contextuales.
c) Los factores personales.
d) Los factores intrínsecos.

22. El modelo que considera la discapacidad como un problema de la persona producido por una enfermedad es:

a) El modelo médico.
b) El modelo social.
c) El modelo integrador.
d) Ninguna respuesta es correcta.

23. Señala la opción incorrecta. La escala de la CIDDM-2 utiliza:

a) Un sistema de codificación betanumérico.
b) A cada ítem de cada una de las escalas le corresponde un código que puede ser ubicado en función de la letra y números que aparezcan en él.
c) Por lo tanto, a cada una de las escalas o componentes le corresponde una letra que encabeza el código.
d) Tras la letra pueden aparecer de tres a cinco números.

24. Para poder describir los estados relacionados con la salud se utilizan:

a) Desempeño/realización.
b) Cuantificadores.
c) Calificadores.
d) Facilitadores.

25. En este ejemplo b21002.3 ¿qué significa el punto y detrás un número?

a) Todos los calificadores se expresan junto al código correspondiente y separado del mismo por un punto. El 3 indica que es un problema SEVERO.
b) Todos los cuantificadores se expresan junto al código correspondiente y separado del mismo por un punto. El 3 indica que es un problema LIGERO.
c) Todos los facilitadores se expresan junto al código correspondiente y separado del mismo por un punto. El 3 indica que es un problema SEVERO.
d) Ninguna opción es correcta.

26. La discapacidad que afecta al sistema nervioso es un tipo de discapacidad:

a) Física.
b) Psíquica.

c) Sensorial.
d) Auditiva.

27. Es cierto en relación con la sordera prelocutiva:

a) Se produce posterior a la adquisición del lenguaje.
b) Se da anterior a la producción del lenguaje.
c) Aparece a partir de los 6 años.
d) Ninguna respuesta es correcta.

28. Según la OMS (Organización Mundial de la Salud), en 2001, se define discapacidad atendiendo a:

a) Factores personales.
b) Factores ambientales.
c) Condición de salud.
d) Todas las respuestas son correctas.

29. Es falso sobre la ceguera parcial:

a) Visión reducida, que permite la orientación en la luz y percepción de masas uniformes.
b) Se considera un tipo de discapacidad física.
c) Las restas visuales facilitan el desplazamiento y la aprehensión al mundo externo.
d) Hay afectación del canal visual de adquisición de la información.

30. En la discapacidad intelectual, además de la capacidad intelectual, ¿qué otras áreas pueden verse afectadas?

a) Psicomotricidad.
b) Atención-concentración.
c) Orientación espacial.
d) Todas pueden verse afectadas.

Solución al test n.º 16

1. c) Clasificación Internacional del Funcionamiento de la Discapacidad y la Salud.

2. a) OMS.

3. d) Todas las respuestas anteriores son correctas.

4. b) Aspectos negativos (discapacidad).

5. a) Aspectos positivos (funcionamiento).

6. b) Describir los derechos y deberes humanos.

7. a) Clasificación Internacional de Deficiencias, Discapacidades y Minusvalías.

8. d) Las respuestas a y c son correctas.

9. d) La CIE-10 y la CIDDM-2 siempre deben utilizarse conjuntamente.

10. a) No incluye factores socioeconómicos y es válida para cualquier persona, no solamente para personas con discapacidades.

11. b) Su ámbito y cobertura.

12. a) Las categorías en cada dominio de salud y de estados relacionados con la salud.

13. c) Componentes.

14. a) Funciones Corporales.

15. b) Estructuras Corporales.

16. a) La deficiencia implica necesariamente que hay enfermedad.

17. b) Actividad.

18. c) Limitaciones en la actividad.

19. a) Restricciones en la participación.

20. b) Los factores contextuales.

21. c) Los factores personales.

22. a) El modelo médico.

23. a) Un sistema de codificación betanumérico.

24. c) Calificadores.

25. a) Todos los calificadores se expresan junto al código correspondiente y separado del mismo por un punto. El 3 indica que es un problema SEVERO.

26. a) Física.

27. b) Se da anterior a la producción del lenguaje.

28. d) Todas las respuestas son correctas.

29. b) Se considera un tipo de discapacidad física.

30. d) Todas pueden verse afectadas.

TEST N.º 17

Entrenamiento de hábitos de autonomía personal en situaciones cotidianas: estrategias de intervención. Técnicas de resolución de conflictos. Técnicas básicas de observación. Intervención en situaciones de crisis

1. ¿Cuál es la Ley de "Promoción de la autonomía personal y atención a las personas en situación de dependencia"?

a) 15/1999, de 13 de diciembre.
b) 41/2002, de 14 de noviembre.
c) 39/2006, de 14 de diciembre.
d) 36/2009, de 31 de marzo.

2. Son universales, están ligadas a la supervivencia y condición humana, a las necesidades básicas, están dirigidas a uno mismo y suponen un mínimo esfuerzo cognitivo. Nos referimos a:

a) Actividades básicas de la vida diaria.
b) Actividades básicas instrumentales de la vida diaria.
c) Actividades diarias de la vida diaria.
d) Actividades avanzadas de la vida diaria.

3. Las actividades que requieren el uso de procesos cognitivos complejos son:

a) Actividades diarias de la vida diaria.
b) Actividades instrumentales de la vida diaria.
c) Actividades avanzadas de la vida diaria.
d) Actividades sociales de la vida diaria.

4. La Clasificación Internacional de la Salud, la Discapacidad y el Funcionamiento (CIF, 2001) propone una clasificación de las actividades de la vida diaria basada en:

a) Las actividades básicas.
b) El desarrollo cognitivo.

c) La movilidad y el autocuidado.
d) Las áreas de aprendizaje.

5. Los rasgos distintivos que caracterizan a las actividades básicas, instrumentales y avanzadas de la vida diaria que definen a las básicas como un tipo de actividad sobre la que se sustenta algo fundamental, esencial en oposición a la cualidad de mediadoras de las otras, aquellas de las que nos servimos para hacer algo, que utilizamos para lograr algo, y que pueden ser delegadas en otros, se establecen en torno a:

a) Los objetivos.
b) La complejidad.
c) La finalidad.
d) La privacidad.

6. Las capacidades para vivir de manera autónoma en el entorno personal con el manejo del dinero y la realización de compras, son definidas como:

a) Actividades básicas.
b) Actividades complejas.
c) Actividades instrumentales.
d) Actividades avanzadas.

7. La conducta aprendida que la persona puede ejecutar de manera automática en el momento oportuno, sin control externo, se denomina:

a) Habilidad.
b) Capacidad.
c) Facilidad.
d) Hábito.

8. ¿En qué fase del proceso de adquisición de hábitos para la autonomía personal la imitación cobra un papel fundamental?

a) Aprendizaje.
b) Automatización.
c) Preparación.
d) Consolidación.

9. En la fase de aprendizaje de la adquisición de hábitos para la autonomía personal se realizarán:

a) La evaluación de las capacidades funcionales de la persona.
b) La automatización de la conducta aprendida.

c) Las actividades segmentadas en componentes elementales en el caso de conductas complejas.
d) Las tareas de manera autónoma en el contexto adecuado.

10. ¿Qué aspecto determina la dinámica de un conflicto?

a) La percepción del problema.
b) El conflicto latente.
c) La comunicación verbal y no verbal.
d) La atmósfera grupal.

11. ¿Cuál es la forma fundamental de resolución de conflictos, generalmente voluntaria, y que implica la comunicación y el intercambio de información entre las partes?

a) Concesión.
b) Aprobación.
c) Abdicación.
d) Negociación.

12. ¿Cómo se denomina la estrategia de solución de conflictos que implica la renuncia de una de las partes a todo o casi todo de lo que pretende conseguir, puesto que considera que complacer a la otra parte o evitar la disputa es más importante que vencer?

a) Flexibilidad.
b) Solución de problemas.
c) Rivalidad.
d) Inacción.

13. En una situación de resolución de conflictos, la mediación para la solución de problemas:

a) Tiene como finalidad la transformación de las personas.
b) Actúa a través de un proceso de empoderamiento.
c) Se establecen arreglos mutuamente aceptados.
d) Tiene un carácter pedagógico.

14. Uno de los inconvenientes de la observación es que:

a) No permite tener información adicional.
b) No todos los fenómenos son observables.
c) No permite abordar la problemática de forma global.
d) No permite estudiar un hecho, se necesitan intermediarios.

15. La escucha activa y la empatía son dos habilidades que se precisan en:

a) La observación externa.
b) La observación sistemática.
c) El trabajo de campo.
d) La observación interna.

16. Las técnicas de observación en las que se agrupan las conductas por su intensidad y/o frecuencia, se denominan:

a) Escalas de estimación.
b) Escalas de control.
c) Encuestas.
d) Escalas de interacción.

17. Cualquier procedimiento de control que se emplee ante una situación de crisis debe emprenderse desde:

a) La identificación de la situación.
b) La valoración del riesgo.
c) El diálogo.
d) El protocolo de emergencia.

18. Para el modelo de Apoyo Conductual Positivo, el objetivo de la intervención es:

a) La finalidad del comportamiento.
b) La evaluación funcional.
c) La educación.
d) La conducta disruptiva.

19. Para tratar de descubrir las razones por las que el individuo realiza la conducta problema se realiza:

a) Diseño de intervención.
b) Evaluación conductual
c) Intervención.
d) Evaluación funcional.

20. De los siguientes, señala cuál no corresponde con un estilo de afrontamiento:

a) Competidor.
b) Sumiso.
c) Negociador.
d) Mediador.

Solución al test n.º 17

1. c) 39/2006 de 14 de diciembre.

2. a) Actividades básicas de la vida diaria.

3. c) Actividades avanzadas de la vida diaria.

4. d) Las áreas de aprendizaje.

5. a) Los objetivos.

6. c) Actividades instrumentales.

7. d) Hábito.

8. a) Aprendizaje.

9. c) Las actividades segmentadas en componentes elementales en el caso de conductas complejas.

10. b) El conflicto latente.

11. d) Negociación.

12. a) Flexibilidad.

13. c) Se establecen arreglos mutuamente aceptados.

14. b) No todos los fenómenos son observables.

15. d) La observación interna.

16. a) Escalas de estimación.

17. c) El diálogo.

18. c) La educación.

19. d) Evaluación funcional.

20. d) Mediador.

TEST N.º 18

Técnicas de comunicación con personas dependientes: Tipos de comunicación. Barreras. Pautas para mejorar la comunicación. Técnicas básicas de comunicación no verbal. Comunicación con familiares

1. Para que se produzca comunicación deben de darse algunos aspectos; indicar cuál de los siguientes no es un elemento de la comunicación:

a) Fuente.
b) Transmisión.
c) Mensaje.
d) Destino.

2. La fuente es:

a) El contenido de lo que se comunica.
b) La persona receptora del mensaje.
c) El individuo que transmite la información.
d) La forma de transmitir el contenido.

3. Con respecto a la retroalimentación, es cierto que:

a) Se produce cuando entre dos personas que conversan se establece comunicación.
b) Indica cómo se ha establecido el mensaje entre dos personas.
c) Permite ir viendo que se asimila bien el mensaje.
d) Todas son correctas.

4. La retroalimentación, ¿es una fase imprescindible para que exista comunicación?

a) Sí, siempre.
b) No, en realidad entorpece la comunicación.
c) No, aunque sí es necesaria para verificar su eficacia.
d) Sí, en caso de comunicación de retorno.

5. ¿Cómo se denomina a cualquier elemento que interfiera o dificulte la recepción y comprensión del mensaje, tales como escritura ilegible, conexiones telefónicas defectuosas, falta de atención del receptor...?

a) Interferencias.
b) Ruido.
c) Retroalimentación.
d) Descodificación.

6. ¿Cuál de los siguientes ruidos de la comunicación puede considerarse como físico?

a) Grado de interés.
b) Falta de motivación.
c) Contaminación acústica.
d) Alta ansiedad.

7. ¿Cuál de los siguientes elementos de la comunicación es considerado como el primero y es todo aquello que se desea trasmitir?

a) Emisor.
b) Mensaje.
c) Canal.
d) Código.

8. De cuál de los siguientes elementos de la comunicación se puede prescindir para que la comunicación no quede afectada:

a) Código.
b) Mensaje.
c) Emisor.
d) Todos los elementos de la comunicación son importantes y absolutamente imprescindibles.

9. Tomando como referencia la relación emisor-receptor en el proceso de la comunicación, esta (comunicación) puede ser:

a) Horizontal.
b) Lingüística.
c) Diagonal.
d) Envolvente.

10. Según diversos estudios realizados, el 75 % de la comunicación es:

a) Lingüística.
b) Horizontal.

c) Vertical.
d) No lingüística.

11. Cuando la fuente emisora emite un mensaje que es recibido por el receptor consiguiendo la participación de este y la emisión de un nuevo mensaje se dice que es una comunicación:

a) Vertical.
b) Plana.
c) Horizontal.
d) Participativa.

12. La mayor parte de la comunicación es de tipo:

a) Lingüística.
b) No Lingüística.
c) Oral.
d) a y c son correctas.

13. Con respecto al lenguaje corporal, es cierto que:

a) En la distancia pública, el sanitario que comunica con el paciente está separado de él más de 3 metros.
b) En la distancia social, dicha separación está entre 1 y 2 metros.
c) En la distancia personal, dicha separación está entre 0,5 y 1 m.
d) b y c son correctas.

14. La convicción es un método que:

a) Permite a una persona hacer comprensible a otra una idea o hecho que se le quiera transmitir.
b) Pretende persuadir a otra persona para que crea algo.
c) Pretende influenciar de forma oral sobre la mente del receptor.
d) Puede demostrar a una persona una idea.

15. Indique la incorrecta. Son dificultades para la comunicación:

a) La sordera.
b) La sinceridad.
c) Hablar demasiado deprisa.
d) Hablar siempre mirando a la cara.

16. La relación interpersonal se basa en tres pilares. ¿Cuál de los siguientes es uno de ellos?

a) Sinceridad.
b) Confianza.

c) Respeto.
d) Los tres constituyen los pilares de la relación interpersonal.

17. El proceso mediante el cual las personas interpretan y organizan la información con la finalidad de darle significado y comprensión a su mundo recibe el nombre de:

a) Percepción.
b) Pensamiento.
c) Sentimiento.
d) Intencionalidad.

18. Las relaciones interpersonales son deficientes cuando producen (indique la incorrecta):

a) Frustración.
b) Empatía.
c) Enojo.
d) Deserción.

19. ¿Cuál de los siguientes aspectos es un proceso fundamental en una relación interpersonal?

a) La escucha.
b) El comportamiento no verbal.
c) La intencionalidad.
d) La forma de preguntar.

20. La confianza en una relación interpersonal permite:

a) Conocer el problema.
b) Crear intimidad.
c) Fomentar la libertad de expresión.
d) Que se sea honesto.

21. ¿Cuál de las siguientes opciones es una etapa de una relación interpersonal insatisfecha en que se vuelve a la situación anterior para reintegrarse de lo perdido?

a) Aislamiento.
b) Desquite.
c) Dominación.
d) Cooperación.

22. La capacidad que tiene una persona para ponerse en el lugar de otro y compartir sus sentimientos se denomina:

a) Empatía.
b) Comprensión.

c) Amistad.
d) Atención.

23. Entre los componentes de toda actitud destaca:

a) Componente afectivo.
b) Componente direccional.
c) Componente correccional.
d) Componente hereditario.

24. El componente cognoscitivo de toda actitud está formado por:

a) La idea.
b) La fuente.
c) El objeto.
d) a y c son correctas.

25. Las actitudes se adquieren por diversos métodos, entre los que no destaca:

a) La imitación.
b) La enseñanza.
c) La repetición.
d) La instrucción.

Solución al test n.º 18

1. b) Transmisión.

2. c) El individuo que transmite la información.

3. d) Todas son correctas.

4. c) No, aunque sí es necesaria para verificar su eficacia.

5. b) Ruido.

6. c) Contaminación acústica.

7. b) Mensaje.

8. d) Todos los elementos de la comunicación son importantes y absolutamente imprescindibles.

9. a) Horizontal.

10. d) No lingüística.

11. d) Participativa.

12. b) No Lingüística.

13. d) b y c son correctas.

14. b) Pretende persuadir a otra persona para que crea algo.

15. d) Hablar siempre mirando a la cara.

16. d) Los tres constituyen los pilares de la relación interpersonal.

17. a) Percepción.

18. b) Empatía.

19. c) La intencionalidad.

20. a) Conocer el problema.

21. b) Desquite.

22. a) Empatía.

23. a) Componente afectivo.

24. d) a y c son correctas.

25. c) La repetición.

TEST N.º 19

Actividades de acompañamiento y de relación social, individual y grupal. Técnicas que favorecen la relación social: La animación social, la actividad física, actividades de comunicación y expresión. Actividades socioculturales. Actividades cognitivas

1. ¿Cómo se denomina el tipo de acompañamiento cuya finalidad es asistencial específica en el área de la salud, que se ubica en lo cotidiano y en las actividades diarias de aquellas personas que se encuentran en situación de vulnerabilidad?

a) Acompañamiento social.
b) Acompañamiento educativo.
c) Acompañamiento periódico.
d) Acompañamiento terapéutico.

2. Las funciones como profesional que acompaña a personas en situación de dependencia, cualquiera que sea su causa, se concretarán en los siguientes objetivos fundamentales. Señala el que no corresponda:

a) Rol de cuidador.
b) Rol terapéutico.
c) Rol informativo.
d) Rol de apoyo emocional.

3. Para programar intervenciones se realizará una evaluación neuropsicológica que permitirá:

a) Seleccionar las tareas adaptadas a las características personales de cada participante.
b) Diagnosticar al usuario y clasificarlo según sus necesidades.
c) Adecuar sus conductas erróneas a otras más adaptadas.
d) Los procesos cognitivos que realiza cada persona.

4. El acompañamiento que persigue no solo la capacitación profesional sino el establecimiento de relaciones que supongan un apoyo social que influya en el bienestar y la salud de las personas, se realiza en:

a) El centro residencial.
b) El centro de ocio.
c) El centro ocupacional.
d) El entorno vecinal.

5. Según Zambrana, ¿qué consideraciones hay que tener en cuenta para establecer pautas de actividad física para personas mayores?

a) Evitar actividades que tengan un alto grado de lesión o demasiado intensas.
b) Determinar los ejercicios que sobrecarguen excesivamente el aparato cardiovascular o las articulaciones.
c) Detectar el grado de preparación de la persona ante la práctica de ejercicio e identificar si la persona realiza ejercicio esporádicamente o de forma regular y continua en el tiempo.
d) Proponer actividades atendiendo a las necesidades de las personas viudas, solteras, casadas y divorciadas.

6. De los siguientes objetivos, señala el que no corresponda a un programa de actividad física para personas dependientes:

a) Fortalecer y enriquecer la capacidad propia de expresión de los sujetos.
b) Conseguir un desarrollo y formación integral de la persona, dotándola de la mayor autonomía física en la medida de sus posibilidades y reforzando el equilibrio emocional y psicológico (mejora del autoconcepto y de la autoestima).
c) Convertir la actividad física en un hábito de salud y por tanto de mejora de la calidad de vida.
d) Redescubrir el cuerpo y sus grandes capacidades de expresión y comunicación.

7. En la práctica de animación socio-cultural lo importante es:

a) Utilizar un lenguaje expresivo especializado.
b) Reconocer y valorar el lenguaje que tiene cada persona.
c) Favorecer la unidireccionalidad de la comunicación.
d) Realizar siempre los mismos ejercicios de comunicación hasta crear el hábito.

8. ¿Qué actividad ayuda a establecer la relación con nuestro cuerpo y a respetar el espacio de los demás?

a) Los juegos teatrales.
b) La música.
c) La danza libre.
d) La expresión plástica.

9. Las actividades socioculturales se fundamentan en varios puntos básicos. Señala el que no corresponda:

a) El grupo.
b) La toma de conciencia.
c) El proceso.
d) Los encuentros.

10. A diferencia de otro tipo de actividades, ¿cuáles son las que deben ser individualizadas desde su programación hasta su realización?

a) Las actividades socioculturales.
b) Las actividades cognitivas.
c) Las actividades físicas.
d) Las actividades artísticas.

11. Para poder programar actividades cognitivas es esencial en primer lugar:

a) Acoger apropiadamente a la persona.
b) Practicar unos ejercicios de comunicación interpersonal.
c) Realizar una evaluación neuropsicológica.
d) Programar una tarea de autoconocimiento.

12. Las tareas cognitivas resultarán adecuadas si:

a) Suponen un reto de superación para quien las realiza.
b) Se programan con una dificultad creciente.
c) Se relacionan con temas especializados.
d) Tienen significado para quien las realiza.

13. Reconocer y señalar tachando en la hoja de papel los diferentes estímulos que se indiquen: números, letras o formas, son tareas de:

a) Discriminación visual.
b) Identificación de imágenes.
c) Clasificación por atributos.
d) Reconocimiento.

14. De las siguientes tareas, indica la que no corresponda a tareas de praxias:

a) Construcción de modelos.
b) Ejecución de órdenes.
c) Orientación espacial.
d) Dibujos.

15. Para ejercitar la abstracción, el razonamiento, el juicio crítico y la memoria semántica, lo haremos a través de tareas de:

a) Lenguaje.
b) Memoria.
c) Praxias.
d) Gnosias.

16. Señala la respuesta errónea. Las tareas de función ejecutiva tienen como objetivo:

a) Favorecer la capacidad de concentración.
b) Favorecer la capacidad de denominación.
b) Ejercitar la capacidad de planificación.
c) Favorecer la reversibilidad y flexibilidad cognitiva.

17. La tarea en la que solicita tachar el color indicado por una palabra escrita en diferente color que el solicitado se denomina:

a) Taichi.
b) Stroop.
c) Scoop.
d) Trail-making.

18. Las dinámicas de comunicación tienen su propio valor según:

a) El conocimiento previo entre los participantes.
b) La dificultad de la tarea.
c) Las limitaciones de los participantes.
d) Los objetivos que se persiguen.

19. Una de las características del acompañamiento como recurso terapéutico es que en todos los casos:

a) El individuo debe solicitarlo.
b) Su objetivo es educativo.
c) Representa una forma básica de trabajar con las personas y los grupos con dificultades para conseguir su incorporación a la sociedad.
d) Propone e incentiva la realización de actividades positivas.

20. Según el informe realizado por el USDHHS (2008) (Departamento de Salud y Servicios de Estados Unidos), parece que existe una fuerte evidencia de que las personas físicamente activas:

a) Tienen menos grasa abdominal.
b) Menor riesgo de fractura de cadera.
c) Menor riesgo de muerte temprana.
d) Mejor densidad ósea.

Solución al test n.º 19

1. d) Acompañamiento terapéutico.

2. b) Rol terapéutico.

3. a) Seleccionar las tareas adaptadas a las características personales de cadaparticipante.

4. c) El centro ocupacional.

5. d) Proponer actividades atendiendo a las necesidades de las personas viudas, solteras, casadas y divorciadas.

6. a) Fortalecer y enriquecer la capacidad propia de expresión de los sujetos.

7. b) Reconocer y valorar el lenguaje que tiene cada persona.

8. c) La danza libre.

9. d) Los encuentros.

10. b) Las actividades cognitivas.

11. c) Realizar una evaluación neuropsicológica.

12. d) Tienen significado para quien las realiza.

13. a) Discriminación visual.

14. c) Orientación espacial.

15. a) Lenguaje.

16. b) Favorecer la capacidad de denominación.

17. b) Stroop.

18. a) El conocimiento previo entre los participantes.

19. d) Propone e incentiva la realización de actividades positivas.

20. c) Menor riesgo de muerte temprana.

TEST N.º 20

Participación en la atención psicosocial de las personas dependientes en centros residenciales: adaptación a la institución de las personas mayores. Factores que favorecen o dificultan la adaptación. Apoyo durante el periodo de adaptación

1. La función principal de los centros residenciales es:

a) Ayudar a la realización de las actividades de la vida diaria.
b) Benéfico-asistencial.
c) Alojamiento y hostelería.
d) Atención integral para mejorar las condiciones de vida.

2. Según Goffman, el concepto de institucionalización se asemeja al de:

a) Institución total.
b) Hospital psiquiátrico.
c) Centro residencial.
d) Ingreso definitivo.

3. En cuanto a los efectos de la institucionalización en una persona, existe una incidencia sobre la autonomía personal que genera:

a) Mayor desamparo.
b) Mayor dependencia.
c) Mayor autonomía.
d) Mayor capacidad.

4. En la actualidad, los efectos del ingreso en un centro residencial se analizan considerando:

a) Los efectos positivos y negativos.
b) La ruptura y sus consecuencias.
c) Los procesos y las variables.
d) El último recurso.

5. Según la óptica del proceso adaptativo del ciclo vital, la disfunción en la respuesta adaptativa a las exigencias del entorno puede ocasionar:

a) Dependencia.
b) Estrés.
c) Mayores recursos.
d) Ajustes.

6. El concepto de vejez exitosa se centra en:

a) La vejez normal.
b) Criterios objetivos tales como la edad y las patologías que padece la persona.
c) Las capacidades preservadas y los déficits observados.
d) La satisfacción que sienten las personas por poder adaptarse a las situaciones cambiantes de su vida.

7. Los autores del Enfoque del Ciclo Vital plantean un continuo proceso de adaptación a lo largo de toda la vida mediante tres componentes que interactúan entre sí. Señala el que no corresponda:

a) Realización.
b) Selección.
c) Optimización.
d) Compensación.

8. ¿En qué etapa del ingreso a un centro residencial el objetivo prioritario es minimizar el efecto del cambio?

a) Preingreso.
b) Ingreso.
c) Adaptación.
d) Integración.

9. Señala cuál de las siguientes fases no corresponde al proceso de adaptación emocional de la familia al ingreso de su familiar en un centro residencial:

a) Ambivalencia.
b) Hiperactividad.
c) Redistribución y concesión.
d) Negación.

10. De los siguientes, señala qué factor favorece el preingreso:

a) La percepción de control.
b) El nivel de actividad y de relaciones.

c) El plan individualizado de atención.
d) La oferta de recursos.

11. ¿Cómo se denomina a la fase o periodo que se extiende desde el ingreso hasta los primeros 90 días de estancia de la persona usuaria en la residencia?

a) Ingreso.
b) Aceptación.
c) Adaptación.
d) Autonomía.

12. Uno de los factores que pueden dificultar el ingreso es:

a) La patología que padece la persona que ingresa.
b) La implicación y disponibilidad de la familia.
b) La soledad y el aislamiento.
c) Que el cuidador habitual sea una persona mayor.

13. Durante el periodo de adaptación puede tener un efecto negativo para el usuario y su familia:

a) La falta de un protocolo de alta.
b) El exceso de actividades.
c) La incorrecta ubicación del usuario.
d) La atención a las conductas autónomas y adaptativas.

14. Señala cuál de los siguientes usuarios puede presentar problemas añadidos de adaptación:

a) Con patologías respiratorias.
b) Con patologías de la visión.
c) En estancia temporal para respiro de la familia.
d) Enfermedad cardiovascular.

15. En el proceso de adaptación se trabajarán diferentes líneas de actuación para evitar una mayor dependencia del usuario. Señala la que no corresponda:

a) Las expectativas de necesidad de cuidado.
b) La percepción de falta de control.
c) La atención como mero receptor de servicios.
d) La relación con la familia.

16. Para mejorar la adaptación e integración en el medio residencial del usuario un objetivo será:

a) Facilitar la implicación familiar.
b) Facilitar apoyo psicosocial y atención sociosanitaria.

c) Proporcionar, mediante la formación continua, conocimientos a los profesionales.
d) Lograr un entorno físico estimulante, seguro y confortable.

17. ¿Qué tipo de apoyos ofreceremos al usuario para el desarrollo de las capacidades personales mediante la participación grupal en diversas actividades de estimulación funcional, cognitiva y social?

a) Actividades terapéuticas.
b) Actividades para la adaptación e integración.
c) Atención sociosanitaria.
d) Evaluación neuropsicológica.

18. Las actividades que garantizan una atención profesional cualificada mediante la formación continuada del personal asistencial, el desarrollo del trabajo en equipo y otras medidas dirigidas hacia una mayor participación y satisfacción profesional, se denominan:

a) Actividades regladas.
b) Actividades de integración profesional.
c) Actividades de recursos humanos.
d) Actividades de intervención laboral.

19. Las actividades que organizan el funcionamiento del centro para tener un clima social participativo (residente-personal-familias) en unas fluidas relaciones democráticas, basadas en el respeto a los derechos personales, son apoyos para intervenir a nivel:

a) Familiar.
b) Residencial.
c) Comunitario.
d) Ambiental.

20. ¿Quiénes integran la Comisión de Acogida en un centro residencial?

a) Las familias.
b) Los profesionales.
c) La organización.
d) Los propios usuarios.

Solución al test n.º 20

1. d) Atención integral para mejorar las condiciones de vida.

2. a) Institución total.

3. b) Mayor dependencia.

4. c) Los procesos y las variables.

5. b) Estrés.

6. d) La satisfacción que sienten las personas por poder adaptarse a las situaciones cambiantes de su vida.

7. a) Realización.

8. b) Ingreso.

9. d) Negación.

10. a) La percepción de control.

11. c) Adaptación.

12. b) La implicación y disponibilidad de la familia.

13. a) La falta de un protocolo de alta.

14. c) En estancia temporal para respiro de la familia.

15. d) La relación con la familia.

16. b) Facilitar apoyo psicosocial y atención sociosanitaria.

17. a) Actividades terapéuticas.

18. c) Actividades de recursos humanos.

19. d) Ambiental.

20. d) Los propios usuarios.

TEST N.º 21

Atención y apoyo integral a las personas mayores: Autocuidados, autonomía, relaciones interpersonales: Tiempo libre, estimulación cognitiva. Entorno psicoafectivo. Sexualidad

1. ¿Cuál de las siguientes son necesidades básicas del paciente, según Virginia Henderson?

a) Realizar prácticas religiosas según la fe de cada uno.
b) Eludir los riesgos del entorno y evitar lesionar a otros.
c) Moverse y mantener la posición deseada.
d) Todas son correctas.

2. La meta de Virginia Henderson es:

a) La adaptación del paciente.
b) El máximo grado de crecimiento personal del paciente.
c) Identificar las necesidades del paciente.
d) La independencia del paciente.

3. ¿Qué autora señala tres niveles en la relación enfermera-paciente?

a) Virginia Henderson.
b) Travelbee.
c) Orlando.
d) Hildegarde Peplau.

4. Según Dorotea Orem, la función de enfermería es:

a) Apreciar las necesidades básicas humanas.
b) Facilitar atención para influir de alguna forma sobre el paciente con el fin de que este evolucione y llegue a conseguir un óptimo nivel de autocuidado.
c) Diagnosticar y tratar si la situación lo exige.
d) Ayudar a las personas sanas y enfermas.

5. Según Dorotea Orem, el sistema en el que enfermera y paciente realizan medidas de asistencia y otras actividades manipulativas o de deambulación, se denomina:

a) Sistema de enfermería educativo.
b) Sistema de enfermería parcialmente compensador.
c) Sistema de enfermería totalmente compensador.
d) Sistema de apoyo.

6. ¿Cuál de los siguientes no es un método de ayuda, según Dorotea Orem?

a) Ordenar.
b) Guiar.
c) Enseñar.
d) Apoyar.

7. ¿A qué autora se le atribuye el modelo de déficit de autocuidados?

a) Tierny.
b) Logan.
c) Virginia Henderson.
d) Dorotea Orem.

8. En el sistema de enfermería parcialmente compensador, es cierto que:

a) Enfermera y paciente realizan medidas de asistencia y otras manipulativas o de deambulación.
b) Las actividades manipulativas y de deambulación las realiza en su totalidad la enfermera.
c) La enfermería orienta a la persona para llevar a cabo las acciones de autocuidado necesarias.
d) Está dirigido a pacientes que son capaces o deben aprender a realizar acciones propias de su autocuidado.

9. En la independencia para la comunicación de la persona mayor influyen varios factores, ¿cuál de los siguientes no es correcto?

a) Estado psíquico.
b) Estado nutricional.
c) Situación social.
d) Estado físico.

10. Los cambios rápidos de la comunicación de masas, a veces, influyen en la persona de edad:

a) Mejorando la comunicación
b) Provocando problemas en la comunicación.

c) No influyen.
d) Todas son correctas.

11. Señalar la correcta. Para conseguir la independencia en la comunicación de la persona mayor, el auxiliar de enfermería realizará las siguientes actividades:

a) Conocer las habilidades de comunicación de la persona mayor.
b) Favorecer la expresión de los sentimientos y emociones de la persona.
c) Animar a la participación de las actividades lúdicas como juegos, excursiones, etc.
d) Todas son correctas.

12. La depresión, la soledad, las pérdidas sensoriales y la inmovilización son situaciones que:

a) Deterioran la comunicación.
b) No influyen en la comunicación.
c) Aumentan el aislamiento.
d) a y c son correctas.

13. Los valores y creencias de la persona mayor no:

a) Deberán ignorarse por su escasa importancia.
b) Ser respetados.
c) Se fomentará su expresión.
d) Se necesitarán conocer por parte del auxiliar de enfermería.

14. Dentro de las limitaciones para expresar los valores y creencias por parte de la persona mayor, no se encuentran:

a) Conflictos de autoestima.
b) Situación económica.
c) Ansiedad.
d) Desequilibrio psíquico.

15. Animar a la persona mayor a pertenecer a un grupo o asociación, según sus preferencias o aficiones:

a) Favorece los conflictos de autoestima.
b) Contribuye a la disminución del aprendizaje.
c) Ayuda a mantener su autoestima.
d) Provoca desequilibrio emocional.

16. Para que la persona mayor pueda llevar a cabo actividades recreativas y lúdicas, el auxiliar de enfermería no deberá:

a) Favorecer actividades en solitario.
b) Apoyarle en la realización de actividades que le reporten satisfacción.

c) Darle a conocer diferentes formas de participación social.
d) Conocer sus aficiones y gustos.

17. ¿Cuál es el factor fundamental que interviene en el proceso de aprendizaje?

a) Dinero.
b) Capacidades psíquicas.
c) Estilo de vida.
d) Ninguna es correcta.

18. Desarrollar hábitos de aprendizaje y su refuerzo, así como conocer las inquietudes y necesidad de aprender, en la persona mayor:

a) Son actividades a desarrollar por la familia.
b) Son actividades a realizar por el auxiliar de enfermería.
c) Son funciones del terapeuta ocupacional.
d) Todas son incorrectas.

19. Respecto al ocio y a la actividad en las personas mayores, señale la respuesta correcta:

a) Hoy en día, el ocio es considerado como "el tiempo dedicado a la exhibición social".
b) Durante su período vital, el ser humano emplea su tiempo de tres maneras: (i) tiempo dedicado al esparcimiento, (ii) tiempo dedicado al trabajo, y (iii) tiempo dedicado a la distracción.
c) "Skholé" significa tiempo utilizado para elevar el espíritu y alcanzar la perfección.
d) En la Antigua Grecia, el "ocio" era considerado sinónimo de "tiempo libre".

20. En cuanto al tema de ocio y actividad, señale la opción correcta respecto a la clasificación de ocio, según Richie:

a) De acuerdo con Richie, el ocio se divide en 4: (i) según el grado de actividad, (ii) según el tiempo invertido en la actividad, (iii) según la dificultad de la actividad y, finalmente, (iv) según el interés.
b) La jardinería es un tipo de ocio sedentario.
c) Asistir a un concierto es un tipo de ocio activo.
d) El ocio activo es aquel que exige la participación del individuo.

21. Siempre en la línea del ocio y de las actividades, señale la opción correcta respecto a los programas de actividad:

a) Los programas de actividad deben tener en cuenta tres posibilidades: capacidad, nivel cognoscitivo y eficacia.
b) La recreación terapéutica se refiere a la intervención en el comportamiento social o emocional con la finalidad de provocar un cambio para facilitar el desarrollo de la persona.

c) Los programas de actividad deben ser elegidos y planificados por agentes externos, no por las personas a quienes van dirigidos.

d) El único objetivo de estos programas de actividad es que las personas ocupen su tiempo libre.

22. En lo que se refiere al ocio y a las actividades, señale la opción correcta en cuanto a los tipos de actividad:

a) Los juegos de mesa constituyen la actividad a la que le dedican más tiempo las personas mayores.

b) La televisión es muy importante, ya que repercute de manera positiva en su bienestar psíquico.

c) Las actividades estructuradas son las que les producen mayor grado de satisfacción a las personas mayores.

d) Las manualidades y el arte es lo que les produce más satisfacción a las personas mayores.

23. En lo que se refiere al ocio y a las actividades, ¿por qué las actividades deben conllevar el ejercicio físico? Señale la opción incorrecta:

a) Los vuelve más resistentes al estrés.

b) Disminuye en un gran porcentaje las enfermedades respiratorias altas en las personas mayores.

c) Aumenta su capacidad de trabajo.

d) Disminuye la presión arterial.

24. Respecto al ocio y a las actividades, señale la respuesta correcta respecto a la actuación del auxiliar de enfermería:

a) Para la asignación de actividades a la persona mayor, el auxiliar de enfermería debe considerar explícitamente lo que él o ella considera que necesita la persona mayor.

b) Si a una persona mayor le desagrada una actividad, la obligación del auxiliar de enfermería es explicarle las ventajas y hacerle ver que dicha actividad le permitirá superar sus limitaciones para que la realice.

c) El auxiliar de enfermería debe comunicar a los educadores las limitaciones físicas o intelectuales de la persona mayor.

d) Las personas mayores no deben ser adiestradas en cuanto al mantenimiento y conservación de las instalaciones y utensilios de ocio, porque esto podría causarles estados depresivos y ansiedad.

25. Respecto al ocio y a las actividades, señale la respuesta correcta respecto a la actuación del auxiliar de enfermería:

a) Es importante que los auxiliares de enfermería conozcan a las personas mayores y sus valores, para asignarles solo aquellas actividades con las cuales pueda cambiar aquellas valoraciones que el auxiliar de enfermería considere conveniente.

b) Es importante fomentar, en las personas mayores de 74 años, las actividades al aire libre.

c) Es preciso fomentar las actividades del aire libre en las personas mayores, y en caso de que se nieguen, de igual forma deberán realizar la actividad para que se den cuenta de que verdaderamente es interesante y que les puede gustar.

d) El auxiliar de enfermería debe estar atento y darse cuenta si la persona mayor está aburrida mientras esté realizando la actividad, lo cual debe informar a sus cuidadores.

26. No es función del auxiliar de enfermería en el anciano con problemas de sexualidad:

a) Modificar patrones de conducta sexual.
b) Brindar apoyo, cuando haya decisiones sexuales.
c) Proporcionar un ambiente cálido y relajado.
d) Proporcionar tiempo para su intimidad.

27. Se llama sexo a:

a) Los caracteres sexuales.
b) La práctica del acto sexual.
c) La vivencia del sexo.
d) El deseo sexual.

28. Se llama sexualidad a:

a) Los caracteres sexuales
b) La práctica del acto sexual.
c) La vivencia del sexo.
d) El deseo sexual.

29. Según Masters y Johnson, las fases del ciclo de la respuesta sexual humana son:

a) Cuatro.
b) Dos.
c) Cinco.
d) Una.

30. El término "deseo sexual" como etapa en el ciclo de la respuesta sexual humana fue acuñado por:

a) Masters.
b) Kinsey.
c) Hite.
d) Kaplan.

31. ¿Qué fase de la respuesta del ciclo sexual humano es más duradera en la mujer anciana?

a) Meseta.
b) Excitación.
c) Orgasmo.
d) Resolución.

32. ¿Qué fase de la respuesta del ciclo sexual humano es más corta en el hombre anciano?

a) Meseta.
b) Excitación.
c) Orgasmo.
d) Resolución.

33. El órgano de placer en el hombre anciano es:

a) Clítorix.
b) Testículos.
c) Pene.
d) Vagina.

34. El órgano de placer en la mujer anciana es:

a) Vagina.
b) Testículos.
c) Pene.
d) Clítoris.

35. Con relación a la respuesta sexual humana en el anciano (hombre y mujer), en comparación con etapas anteriores de la vida, señale la repuesta correcta:

a) Se producen cambios relacionados con la edad.
b) En la mujer, la fase de excitación se alarga.
c) En el varón el deseo sexual disminuye.
d) Todas con correctas.

36. Cuál de los siguientes factores no influyen en la función sexual del anciano:

a) Físicos.
b) Psíquicos.
c) Sociales.
d) Todos influyen en la función sexual.

37. Cite la respuesta errónea:

a) Es verdad que la actividad sexual del geronte es menor que la del joven.
b) Es verdad que con la edad la actividad sexual disminuye.
c) Es verdad que disminuye la sensibilidad genital con la edad.
d) a y b son erróneas.

38. Cuál es función del auxiliar de enfermería en el paciente anciano con problemas de sexualidad:

a) Permitir que exteriorice sus problemas de sexualidad.
b) Proporcionarle información verdadera.
c) Deshacer tabús sobre la sexualidad.
d) Todas son funciones que puede ejercitar el auxiliar de enfermería.

39. En un geronte con problemas de sexualidad, el auxiliar de enfermería debe evitar:

a) Intimidad sexual.
b) Apoyo sexual.
c) Opinar sobre la sexualidad.
d) Educación sexual.

Solución al test n.º 21

1. d) Todas son correctas.

2. d) La independencia del paciente.

3. a) Virginia Henderson.

4. b) Facilitar atención para influir de alguna forma sobre el paciente con el fin de que este evolucione y llegue a conseguir un óptimo nivel de autocuidado.

5. b) Sistema de enfermería parcialmente compensador.

6. a) Ordenar.

7. d) Dorotea Orem.

8. a) Enfermera y paciente realizan medidas de asistencia y otras manipulativas o de deambulación.

9. b) Estado nutricional.

10. b) Provocando problemas en la comunicación.

11. d) Todas son correctas.

12. d) a y c son correctas.

13. a) Deberán ignorarse por su escasa importancia.

14. b) Situación económica.

15. c) Ayuda a mantener su autoestima.

16. a) Favorecer actividades en solitario.

17. b) Capacidades psíquicas.

18. b) Son actividades a realizar por el auxiliar de enfermería.

19. c) "Skholé" significa tiempo utilizado para elevar el espíritu y alcanzar la perfección.

20. d) El ocio activo es aquel que exige la participación del individuo.

21. b) La recreación terapéutica se refiere a la intervención en el comportamiento social o emocional con la finalidad de provocar un cambio para facilitar el desarrollo de la persona.

22. d) Las manualidades y el arte es lo que les produce más satisfacción a las personas mayores.

23. b) Disminuye en un gran porcentaje las enfermedades respiratorias altas en las personas mayores.

24. c) El auxiliar de enfermería debe comunicar a los educadores las limitaciones físicas o intelectuales de la persona mayor.

25. d) El auxiliar de enfermería debe estar atento y darse cuenta si la persona mayor está aburrida mientras esté realizando la actividad, lo cual debe informar a sus cuidadores.

26. a) Modificar patrones de conducta sexual.

27. a) Los caracteres sexuales.

28. c) La vivencia del sexo.

29. a) Cuatro.

30. d) Kaplan.

31. b) Excitación.

32. c) Orgasmo.

33. c) Pene.

34. d) Clítoris.

35. d) Todas con correctas.

36. d) Todos influyen en la función sexual.

37. d) a y b son erróneas.

38. d) Todas son funciones que puede ejercitar el auxiliar de enfermería.

39. c) Opinar sobre la sexualidad.

Cómo acceder al Curso

Auxiliar de Enfermería

Test materias específicas

El uso de los códigos **es exclusivo de los compradores de los productos de Editorial MAD**. Cada producto posee un código único y de un solo uso. Es personal e intransferible y da acceso a servicios y contenidos adicionales. Editorial MAD se reserva el derecho de hacer cuantas comprobaciones sean necesarias para identificar al legítimo poseedor del código y dejar de dar servicio a quien haga uso fraudulento del mismo, además de emprender cuantas acciones legales estime oportunas según la legislación vigente.

Deberás acceder a:

mad.es/registro-campus

Si una vez aceptadas las condiciones de uso del Campus decides hacer uso del mismo, necesitarás del siguiente código de acceso junto con los códigos del resto de títulos que se exigen (si fuera el caso):

UC2GWK6NPV